LE CHEMIN DU BONHEUR

DISTRIBUTION :

● Pour le Canada :
AGENCE DE DISTRIBUTION POPULAIRE INC.
955, rue Amherst, Montréal H2L 3K4 (Tél. : (514) 523-1182)

● Pour la Belgique :
VANDER, S.A.
Avenue des Volontaires 321, B-1150 Bruxelles, Belgique
(Tél. : 02-762-9804)

Cet ouvrage a été publié en langue anglaise sous le titre :
THE WAY TO HAPPINESS par Prentice-Hall Inc., Englewood
Cliffs, New Jersey, U.S.A.
Copyright © 1978 by Alfred Armand Montapert
All rights reserved

Copyright © 1984
Les éditions Un monde différent ltée
Pour l'édition en langue française
Dépôts légaux 3e trimestre 1984
Bibliothèque nationale du Québec
Bibliothèque nationale du Canada

Conception graphique de la couverture :
MICHEL BÉRARD

Version française :
LAURENT BRAULT

Photocomposition et montage :
CRÉATIONS MAURICE MONTOUR INC.

ISBN : 2-89225-031-5

Alfred Armand Montapert

LE CHEMIN DU BONHEUR

Les éditions Un monde différent ltée
3400, boulevard Losch, Local 8,
Saint-Hubert, QC, Canada
J3Y 5T6

Je dédie ce livre à ma femme Evelyne qui a été source de bonheur, de joie, d'amour et de gaiété dans ma vie.

Table des matières

Le bonheur :
éternelle quête de l'humanité

APPRENDRE À VIVRE, VOILÀ LA CONNAIS-
SANCE LA PLUS IMPORTANTE À ACQUÉRIR
DANS LA VIE. Le bonheur est une foule de petits riens.
Peu de gens savent combien de choses entrent en ligne
de compte pour être heureux.

PRENEZ LA DÉCISION D'ÊTRE HEUREUX. Ap-
prenez à trouver le bonheur dans les choses ordinaires.
Colette, écrivain français de grand renom, en phase ter-
minale de cancer, s'exclamait lors d'une entrevue avec un
journaliste : « Quelle vie merveilleuse j'ai eue ! Ces jours
furent pour moi des plus heureux ! » Puis avec un soupir
de regret, elle ajouta : « Si seulement je m'en étais rendu
compte plus tôt. »

Dans notre poursuite du bonheur, notre plus grande
erreur est de ne pas le reconnaître quand nous le possédons. LE PRODUIT LE PLUS IMPORTANT DE NO-
TRE VIE, C'EST LE BONHEUR ET LA JOIE. La source du bonheur est dans le coeur. LE BONHEUR, C'EST
D'ÊTRE SATISFAIT DE SOI INTÉRIEUREMENT. Que
votre objectif principal soit de passer votre vie à goûter
la joie et le bonheur.

Tous les êtres vivants ont en eux une capacité innée de jouir de la vie mais la JOIE, comme la VIE, a besoin d'être cultivée, car elle ne peut se sustenter par elle-même. Il faut sans cesse extirper les herbes nuisibles, telles les soucis, les conflits, les prises de bec, les paroles inutiles. Chacun de nous doit être le jardinier qui travaille de concert avec Dieu ; en effet, les plus belles choses de la vie doivent donner des fleurs et des fruits. SOYEZ HEUREUX ! SOYEZ BON ! AIMEZ LA VIE !

LE CHEMIN QUI MÈNE AU BONHEUR EST REMPLI DE BEAUCOUP DE PROMESSES. Il en produira encore plus. Ce sera une merveilleuse aventure, ce sera une route émaillée des fleurs de l'expérience et, en plus, des sourires des gens heureux. Selon Goethe, « La valeur d'un homme, comme son bonheur, dépend de sa capacité de valoriser son existence. »

DANS LA VIE, ON EST À LA RECHERCHE de choses nombreuses et variées : recherche de l'ARGENT, recherche des BIENS, recherche de l'AMOUR, recherche de la VÉRITÉ, recherche du SERVICE et du DEVOIR, recherche de la BONTÉ, recherche de Dieu, recherche du BONHEUR et de la SATISFACTION.

À notre naissance, nous sommes tous loin de nous-mêmes et l'ascension requise pour nous réaliser pleinement est longue et abrupte. Se complaire dans une routine monotone ne nous conduira jamais au sommet. Si nous sommes satisfaits de ramper, nous n'aurons jamais des ailes pour voler. Beaucoup de gens se sont laissés emporter prématurément au caprice des flots et sont devenus du bois mort qui flotte à la dérive sur les eaux stagnantes de l'indifférence. L'homme atteint sa pleine efficacité en recherchant sans cesse une sagesse qui colle à la réalité pour bâtir sa vie et son bonheur.

Les aléas de la vie et l'insécurité d'un monde en transformation rapide sont deux des principales causes qui empêchent les gens d'être heureux. Par contraste, selon Aristote et beaucoup d'autres, le BONHEUR, C'EST LA RÉSULTANTE DE TOUTE UNE VIE. On ne l'atteint pas par l'auto-satisfaction mais par une véritable fidélité à un but valable qui joue le rôle d'ancre indispensable sur une mer d'incertitudes.

Si, à l'aide d'un instrument quelconque, on pouvait mesurer le bonheur dans la vie d'une personne ou la qualité de sa vie, nous serions renversés de voir combien de fois nous n'avons pas été honnêtes avec nous-mêmes. Vous trouvez-vous au haut, ou au bas, de l'échelle du bonheur? La qualité du style de vie qu'on développe a une profonde influence sur la santé, la richesse et le bonheur.

De quoi est fait le bonheur?

Il faut en poncer les 57 facettes pour mener un diamant au summum de son éclat. Il en est de même pour le bonheur. Il est constitué d'un grand nombre de facettes ou ingrédients.

Ses principaux éléments sont la droiture d'esprit et un emploi qui occupe corps et âme. Peu de gens se rendent compte à quel point leur bonheur dépend de leur travail. *Le vrai bonheur origine du don de soi à un idéal.* Vivez de façon CONSTRUCTIVE et dans l'OPTIMISME. Faites de votre MIEUX TOUS LES JOURS.

Coleridge écrit: «Le bonheur dans la vie est fait de petits riens, des petites tendresses ou baisers bientôt oubliés, d'un sourire, d'un tendre regard, d'un compliment bien senti et de mille et une choses infinitésimales, telles une pensée ou un sentiment.»

LE BONHEUR EST UNE QUALITÉ D'ORDRE SPIRITUEL QUE L'ON TROUVE DANS UNE MULTITUDE DE PETITES CHOSES, dans un esprit débordant de riches pensées, dans un coeur rempli de compassion et de bonté, dans un coeur au service des autres, aidant les autres, s'oubliant lui-même. C'est un coeur qui demeure actif, soucieux d'effort créateur, de réalisation; c'est un coeur qui recherche et sait apprécier la beauté de la nature, le chant de l'oiseau, le lever et le coucher de soleil, les amis; c'est une famille qui partage les beautés de la vie avec vous, *c'est un coeur capable de jouir des bonnes choses qui s'y trouvent.*

Victor Hugo disait: «Ce que j'apprécie vraiment, ce n'est ni la renommée, ni la fortune, ni le génie, mais bien d'aimer et d'être aimé.»

Le vrai bonheur est le résultat d'une existence réussie. Le vrai bonheur se compose de plusieurs choses: la santé, le comportement, quelque chose à aimer, quelque chose à faire, quelque chose à espérer, la foi, la vérité, la bonté, l'aptitude, le rire, la réalisation. Beaucoup de bonheur nous échappe parce qu'il ne nous coûte pas quelque chose. LE RENONCEMENT À SOI-MÊME PROCURE PLUS DE BONHEUR QUE LA SATISFACTION ÉGOÏSTE DE SES APPÉTITS.

Gelett Burgess dit: «Le rire est une véritable médecine. Il contient des vitamines d'optimisme. Il vivifie comme l'oxygène. Il restaure un moral défaillant. J'ai expérimenté moi-même le pouvoir purificateur du rire.»

Le bonheur a une dimension mondaine et une dimension divine, et le coeur humain est conçu pour s'adapter à ces deux dimensions.

Le bonheur mondain va en diminuant et perd rapidement de son éclat. Le bonheur véritable, c'est-à-dire la JOIE, a sa source en Dieu; il s'agit du bien par excellence, du Bien suprême. Il ne perdra jamais son lustre. Saint Augustin disait: « Nous sommes faits pour Dieu et nous ne serons pas heureux tant que nous n'aurons pas Dieu dans nos coeurs. » L'homme peut posséder tout ce qui est tangible en ce monde et cependant n'être pas heureux, car le bonheur est la satisfaction de l'âme.

On peut parvenir à une vie heureuse par une saine organisation de l'effort personnel, par un choix réfléchi de son travail et de son milieu. Elle découle du développement de la dimension spirituelle, d'une véritable union amoureuse avec votre compagnon de vie. Il n'est pas nécessaire de déclarer son amour, de le proclamer à haute voix, de le dire, mais il doit se prouver par des faits. L'amour est une démonstration et non une déclaration. Le bonheur, c'est d'être marié à quelqu'un qu'on aime.

Le bonheur à sa source à l'intérieur

Je ne dirai jamais trop que nous ne devons pas NOUS FIER AUX APPARENCES EXTÉRIEURES pour être heureux. C'EST EN NOUS qu'il faut regarder, dans notre propre coeur, dans notre esprit. Nous continuons de chercher le bonheur rêvé à l'extérieur, auprès des autres, dans les choses, dans le temps lui-même.

Pour trouver le bonheur, il nous faut sonder nos coeurs, nos propres croyances et nos efforts. Il nous faut RECONNAÎTRE la beauté, la joie, la bonté, l'amour. *Gardez-vous d'entretenir de la haine dans votre coeur, des soucis dans votre esprit... Vivez simplement... Attendez peu de la vie... Donnez beaucoup.*

LE BONHEUR DÉPEND BEAUCOUP PLUS DE CE QUI EST EN NOUS QUE DE CE QUI EST À L'EXTÉRIEUR DE NOUS. Le bonheur est une disposition. Le but de notre existence n'est pas de posséder le bonheur, mais DE LE MÉRITER. Soyez bon. Rappelez-vous que tous ceux que vous rencontrez ont à lutter durement.

«Ni la richesse, ni le rang social ne nous assureront le bonheur, dit John Lubbock. Vous pouvez être riche, grand, puissant, mais sans amour, sans la charité, sans la paix de l'esprit, vous ne pouvez pas être heureux.»

Le bonheur a sa source à l'intérieur ; il est le signe d'une vie intérieure profonde, tout comme la lumière et la chaleur révèlent le soleil qui est leur source. Chaque homme crée son propre bonheur qui est l'arôme d'une vie vécue en harmonie avec de grands idéaux. *Les gens joyeux ne sont pas seulement très heureux, mais vivent très longtemps, sont très utiles et réussissent très bien!* SOYEZ HEUREUX. SOYEZ JOYEUX.

La constitution des États-Unis ne fait que garantir notre liberté de poursuivre le bonheur. *L'homme qui est vraiment heureux est celui qui jouit d'une âme sereine, fruit de la vie intérieure.* Plus celle-ci est profonde, plus les motifs qui l'inspirent sont élevés, plus le bonheur qui en résulte est magnifique, intense et permanent. Ce monde serait plus heureux s'il était symbole de bonheur.

Dans le bonheur, il y a un élément d'oubli de soi. Quand vous êtes joyeux, vous vous complaisez dans quelque chose d'extérieur à vous-même. Le contraire est aussi vrai. Quand vous êtes au fond de l'abîme, vous êtes intensément conscient de vous-même et vous avez l'impression que votre ego devient une masse extrêmement lourde. Les gens se laissent aller à la routine et ne réalisent pas ce qu'ils font. En réalité, ils mettent sur les épaules des autres la cause de leur propre trouble.

CESSEZ D'ALLER À LA CONQUÊTE DU MONDE EXTÉRIEUR ET ALLEZ À LA CONQUÊTE DE VOUS-MÊME ! Vous aurez alors maîtrisé l'univers qui est en vous. Un jour ou l'autre, les hommes apprendront que ce monde intérieur de l'homme est beaucoup plus vaste qu'ils ne l'ont imaginé. Nous allons nous rendre compte que l'HOMME INTÉRIEUR, l'homme véritable

— le coeur, l'intelligence, l'âme, l'esprit — est un UNI-VERS en lui-même.

W. Beran Wolfe écrit : « Cultiver le rire et le sens de l'humour est un excellent entraînement en vue d'une vie heureuse. Il n'y a pas de meilleure méthode d'établir un lien entre vous et vos concitoyens que de développer une chaude personnalité pleine d'humour. Il n'y a que ceux qui se sentent raisonnablement en sécurité à cause de leurs succès qui peuvent se permettre de rire. »

Entretenir des pensées joyeuses

« Le bonheur de votre vie, disait Marc Aurèle, dépend de la nature de vos pensées. » L'esprit régit le corps et nos pensées sont des sources d'où jaillissent le bien et le mal. L'esprit est notre poste invisible de commande. C'est là que naît le bonheur, comme la source est à l'origine de la rivière. LES RÉSULTATS QUE PRODUIT NOTRE ESPRIT SONT CONFORMES À CE QUE L'ON CROIT.

Pour être heureux et en santé, il nous faut apprendre à MAÎTRISER NOS PENSÉES. Chaque jour, nous déterminons quel sera notre comportement par nos attitudes et par nos pensées. Si nous nous plaisons dans des pensées négatives, pleines de ressentiment, dures, impures, nous devenons des êtres tendus, malheureux, déprimés, victimes de la peur. Si nous remplissons nos esprits d'éléments positifs, valables et beaux, nous bâtissons petit à petit une vie pleine, équilibrée et puissante. La santé et le vrai bonheur dépendent d'une pensée positive et de la foi en Dieu.

L'humour est un assaisonnement de la vie. Il ajoute de la saveur au travail, du piquant au jeu, du charme à l'amélioration personnelle et prouve aux autres que nous sommes sûrs de nous. Will Rogers faisait remarquer : « Nous ne sommes ici que pour un temps. Profitez de tout pour rire le plus possible. »

Chaque bonne pensée contribue pour sa part à l'ultime résultat de votre vie. Une simple pensée le matin peut remplir toute la journée de joie et de soleil, ou de tristesse et de dépression. Plus d'une fois, nous nous sommes senti déprimés à cause d'une pensée peu charitable ou insouciante. *Vous ne serez jamais meilleur que vos meilleures pensées. « Voici le jour que le Seigneur a fait ; réjouissons-nous et soyons dans la joie. »*

Il ne fait pas le moindre doute que l'esprit a une grande influence sur le corps. De prendre bien conscience que JE PEUX force les facultés du subconscient à agir. La vie se crée de l'intérieur vers l'extérieur. CE QUE JE SUIS À L'INTÉRIEUR DÉTERMINE LES ISSUES DU COMBAT DE LA VIE. Les motifs sont invisibles, mais ils sont le véritable test de la personnalité.

La chimie de notre corps est guidée et mise en branle par nos émotions, mais LA PENSÉE DIRIGE les émotions. Vous pouvez vous rendre malade, pauvre et malheureux par votre manière habituelle de penser. Vous pouvez même vous tuer par vos pensées. Le docteur Gene Emmet Clark disait des mauvaises pensées qu'elles sont « les maladies les plus infectieuses au monde ». Rappelez-vous toujours que la seule personne qui puisse vous faire du mal, c'est VOUS ! Les pensées de joie, de bonheur, de tout ce qui est bon sont constructives.

En dépit des circonstances extérieures à l'homme, celui-ci peut du moins acquérir graduellement la sérénité in-

21

térieure et le bonheur. Quand une personne déclare qu'elle a peur, qu'elle doute, qu'elle ne croit pas, le feu rouge de la destruction s'allume.

Le bonheur de votre vie dépend de la qualité de vos pensées. Penser n'est qu'une manière de se parler intelligemment à soi-même. Vous vous parlez sans cesse à vous-même ; faites attention à ce que vous dites. Toutes les récompenses en cette vie sont le fruit de bonnes pensées et d'actions honnêtes. Si nous pensons bien, nous agirons bien. L'ESPRIT RÉGIT LE CORPS. N'ÊTRE PAS HEUREUX EST UN GASPILLAGE DE NOTRE PROPRE VIE ET UN FARDEAU POUR LA SOCIÉTÉ.

La bonté :
un élément du bonheur

Gardez en vous ces trésors de bonheur que produisent des mots tendres, des actes charitables, des regards doux, de chaleureuses poignées de main : Ce sont des ACTES DE BONTÉ. *Vivez de telle sorte que votre vie vous rende bon et sympathique à votre entourage et vous serez surpris de ce bonheur qui sera vôtre.*

Le temps que l'on consacre à cultiver la bonté est une partie non négligeable de la vie. Quand vous parlez au gens, rappelez-vous toujours d'être BON, d'être COMPATISSANT, PRÉVENANT, COMPRÉHENSIF, AIMANT et JOYEUX. J'ai toujours eu de la peine et je me suis senti malheureux chaque fois que les circonstances ou les événements m'ont mis en colère. Quand vous êtes furieux ou irrité, vous ne pouvez pas penser correctement. Vous êtes tendu, sous l'effet d'un choc, d'un traumatisme. *Quand vous êtes heureux, vous êtes DÉTENDU, CALME, et vos pensées baignent dans un climat de liberté.* Il est difficile d'évaluer à quel point notre esprit est réconforté par un geste tendre, un mot gentil. SOURIEZ ET SOYEZ HEUREUX.

SOURIRE EST UN ART. Plusieurs croient qu'ils savent sourire. Chez celui qui sourit vraiment, ses yeux sourient aussi. LE SOURIRE EST UNE CHOSE À SAVOURER. Les meilleurs vendeurs, les meilleurs acteurs, les leaders qui réussissent le mieux auprès des gens savent que dans la plupart des cas, un sourire peut conquérir plus facilement que l'argent.

Un rire joyeux doit jaillir d'un coeur joyeux ; sans bonté, la véritable joie ne peut exister. Plus vous vieillissez, plus vous vous rendez compte que la bonté est synonyme de bonheur.

Notre ancien voisin, Aldous Huxley, parlant devant un grand public, disait : « Il est quelque peu déconcertant de constater qu'après quarante-cinq ans de recherche et d'étude, le meilleur conseil que je puisse donner aux gens est de manifester plus de bonté, d'être plus aimables les uns pour les autres. »

Ce ne sont pas les grands exploits qui rendent les gens heureux, ce sont les mille et une bontés de la vie quotidienne. *La bonté, c'est la goutte d'huile qui nous fait éviter les frictions dans la vie.* Tous les jours, les occasions sont multiples pour dire un mot de douceur plutôt qu'une parole amère et sarcastique.

« Cessez de vous plaindre de l'aménagement de l'univers, dit Henry Van Dyke. Cherchez autour de vous un endroit où déposer quelques semences de bonheur. » LA PERSONNE QUI SÈME DES GRAINES DE BONHEUR RÉCOLTE UNE MOISSON SANS FIN.

NOMBREUX SONT LES AVANTAGES ATTACHÉS AU BONHEUR. Si vous êtes vendeur, voyez à paraître le plus heureux possible lors d'une prochaine rencontre avec un client et vous verrez combien il vous sera facile de faire votre vente. Quand vous êtes heureux et calme, vos pensées coulent plus librement. Votre attitude joyeuse se propagera dans votre entourage. Quand vous riez, vous vous détendez et quand vous relaxez, vous permettez à vos muscles, à vos nerfs et aux cellules de votre cerveau de se détendre. L'homme peut rarement faire usage de sa raison quand son cerveau est tendu. Le sens de l'humour crée un climat de relaxation qui facilite l'usage de la raison. Supposez qu'il vous faille travailler avec une personne difficile ; essayez de voir vos possibilités d'être heureux et vous serez émerveillé de constater à quel point vous pouvez bien vous entendre avec elle. *Il y a TELLEMENT D'AVANTAGES à être heureux que je ne peux pas comprendre pourquoi on voudrait être malheureux.*

Donner et servir

La moitié de l'humanité fait fausse route dans sa poursuite du bonheur. Elle croit qu'il consiste à le RECHERCHER et à le POSSÉDER, puis à SE FAIRE SERVIR par les autres, alors qu'il faut DONNER aux autres et les SERVIR. C'est tous les jours qu'il faut pratiquer la recherche du bonheur, comme on le fait pour maîtriser le violon.

Chacun de nous doit rendre son entourage meilleur et plus heureux. Soyez capable de dire : « Aujourd'hui, j'ai rendu un être humain au moins un peu plus sage, un peu plus heureux ou, du moins, je l'ai aidé à s'améliorer. » Mark Twain écrivait : « Pour connaître toute l'intensité d'une joie, il vous faut quelqu'un avec qui la partager. »

« Le bonheur, disait Emerson, est comme un parfum : Vous ne pouvez en faire bénéficier quelqu'un sans en avoir répandu sur vous. » Donner aux autres, servir les autres, penser au bien-être des autres, seul celui qui est heureux peut le faire.

Quand vous mettez une semence en terre, vous en attendez une récolte. VOS BONNES ACTIONS SONT VOS SEMENCES. C'est une loi naturelle : Vous récoltez ce que vous semez, en bien ou en mal. « Ne nous lassons

pas de faire le bien, en son temps viendra la récolte...»
(Ga 6:9)

Il y a des gens qui oublient qu'on ne peut jamais
TOUCHER un dividende sans avoir FAIT UN INVES-
TISSEMENT. Ceci s'applique aux domaines financier,
physique, mental, spirituel et social. Vous trouverez de
la joie à servir les autres. Cela ajoutera du piquant à votre vie et VOTRE BONHEUR S'ACCROÎTRA TOUS
LES JOURS.

Edwin Markham écrivait: «Il y a un destin qui fait
de nous des frères et personne ne poursuit son chemin
seul; tout ce que nous donnons à la vie des autres nous
revient dans notre propre vie.» JE NE VAUX QUE CE
QUE JE FAIS POUR LES AUTRES.

*Si nous ne pensons pas aux autres et ne faisons rien
pour eux, nous nous privons des plus grandes sources de
bonheur.* D'ordinaire, ce ne sont pas ceux qui accumulent qui sont heureux, mais bien ceux qui donnent. Donnez tout simplement aux autres un peu de vous-même,
posez un geste prévenant, dites un mot d'appréciation,
donnez un coup de main dans les difficultés, faites un effort de compréhension, une suggestion en temps oppor-
tun. Le malheur, c'est l'ardent désir de POSSÉDER; le
bonheur, c'est celui de DONNER.

Les gens les plus heureux que j'ai connus sont ceux
qui brûlaient du désir d'irradier du bonheur, de vivre sans
égoïsme, de tout faire dans la mesure du possible pour
aider les autres. *Le bonheur est la conséquence d'un effort fait pour rendre quelqu'un d'autre heureux.*
Quelqu'un est-il plus heureux parce que vous vous êtes

trouvé sur son chemin ? Le docteur Albert Schweitzer disait : « Vous serez toujours heureux si vous cherchez et trouvez comment aider les autres. » C'est à juste titre qu'on a dit : « Le service est le loyer que l'on paie pour vivre sur terre. » Ce genre de service apporte le vrai bonheur que nous recherchons tous. LE BONHEUR EST LE SEUL PRODUIT AU MONDE QUI AUGMENTE QUAND ON LE PARTAGE.

Il se peut que l'homme soit dépendant des autres pour ce qu'il POSSÈDE, mais il ne dépend que de lui-même pour ce qu'il EST. Ce qu'il GAGNE dans la vie ne sont que des acquisitions ; ce qu'il DEVIENT, c'est de la croissance.

Nous désirons ardemment laisser derrière nous quelque chose qui durera, une influence ou un bien qui va nous survivre. Personne n'a jamais été honoré pour ce qu'il a reçu. L'HONNEUR, le VÉRITABLE HONNEUR, est réservé pour ce qu'il donne.

L'évaluation de vos biens matériels

Posséder est peut-être la force prépondérante dans la vie de la personne moyenne. La vie devient une lutte violente pour le gain au lieu d'être une mission pour le Seigneur. *Nous sommes tellement occupés à gagner notre pain que nous oublions de vivre.* La vie ne procure jamais tout ce que vous voulez ; soyez content de ce que vous possédez. Ainsi, mettez une rose à votre boutonnière et soyez heureux.

Cultivez le bon goût et usez de discernement dans votre choix des choses. Ayez une idée juste des valeurs. Les objets matériels dont vous n'avez pas besoin et que vous ne pouvez pas utiliser ne peuvent être qu'un embarras. Que votre règle de conduite soit la qualité et non la quantité. Une chose que vous ne voulez pas est chère, peu importe son prix. Gardez-vous des heures régulières pour faire l'inventaire de vos biens et pour en éliminer. Assimilez au fur et à mesure que vous accumulez. Choisissez des choses qui sont conformes à votre propre personnalité. Recherchez la qualité plutôt que la quantité. Faites de temps à autre un inventaire et éliminez sans pitié.

Le bonheur ne dépend pas de la richesse, du statut social ou des biens que l'on possède. *La vie la plus heureuse est celle qui sans cesse utilise et éduque ce qu'il y a de meilleur en nous.* L'homme pourrait posséder tout ce qui est tangible en ce monde et cependant ne pas être heureux, car LE BONHEUR EST LA SATISFACTION DE L'ÂME. Le bonheur est entre les mains de chacun et non entre les mains des autres. Le succès et le bonheur dans la vie ne dépendent pas des circonstances dans lesquelles nous vivons, mais de nous; le BONHEUR EST ÉGALEMENT ACCESSIBLE À TOUTE L'HUMANITÉ.

Le vrai bonheur ne dépend pas des choses extérieures. Dans notre recherche effrénée du bonheur, nous tenons pour acquis qu'il réside dans quelque chose que nous pouvons posséder ou utiliser, par exemple un foyer luxueux, de riches habits, une automobile fougueuse ou un gros compte en banque, des vacances dispendieuses ou des amusements coûteux. Nous sommes assurément dans l'erreur. Si de fait nous avons le confort matériel et qu'en même temps, nous sommes heureux, cela veut dire que notre bonheur a ses racines à l'intérieur de nous. IL PROVIENT DE CE QUE NOUS SOMMES et non de ce que nous possédons. TOUT CE QUE NOUS APPORTERONS AVEC NOUS À L'HEURE DE NOTRE MORT, C'EST CE QUE NOUS SOMMES.

Le bonheur ne vient pas de ce que nous possédons mais de L'ÉVALUATION que nous en faisons. Il ne provient pas de notre travail, mais de NOTRE ATTITUDE vis-à-vis ce travail. Il ne provient pas du succès mais du DEGRÉ DE CROISSANCE SPIRITUELLE auquel nous parvenons dans la réalisation de ce succès. Et la plus grande aventure dans notre vie, c'est d'apprendre l'art d'être heureux.

Quelle est la différence entre POSSESSIONS et TRÉSORS? CE QUE NOUS POSSÉDONS est à l'extérieur de nous. On peut posséder mer et monde et notre intérieur peut être vide, voire misérable. LES TRÉSORS sont à l'intérieur de nous. Vous sentez la chaleur et la présence de Dieu qui habite en vous. « Celui qui est en vous est plus grand que celui qui est dans le monde.» (I Jn 4:4) DIEU EST PLUS GRAND QUE N'IMPORTE QUEL PROBLÈME QUE VOUS AYEZ OU QUE VOUS N'AUREZ JAMAIS. Dieu est la plus grande puissance de l'univers. Il y a toute une différence entre les POSSESSIONS et les TRÉSORS CÉLESTES et, comme l'amour, on ne peut pas les définir. Il faut en faire l'expérience. L'objectif principal de tout homme dans la vie, c'est d'être VRAIMENT BON et d'AIMER LA VIE. Le bonheur, c'est ce qui nous rend HEUREUX À L'INTÉRIEUR.

Aimez votre travail

La plus grande source de bonheur humain est probablement la réalisation personnelle. APPRENDRE À AIMER SON TRAVAIL EST LA PREMIÈRE LOI DU SUCCÈS ET DU BONHEUR DANS LA VIE.

Découvrez ce que vous pouvez faire de mieux pour que vous puissiez vous réaliser en faisant le travail pour lequel vous avez la plus grande capacité d'exécution. Quand vous faites quelque chose de valable, votre travail vous procure de la joie et de la satisfaction. Vous êtes heureux, vous savourez le bonheur au plus profond de vous-même.

J'ai vécu assez longtemps pour savoir que le secret du bonheur est de ne JAMAIS PERMETTRE À NOS ÉNERGIES DE STAGNER. Le bonheur fait partie intégrante d'une activité débordante vouée au succès ; le bonheur, c'est vivre de la manière pour laquelle vous avez été conçu. «Si un homme n'est pas heureux, écrivait Épictète, rappelez-vous que c'est de sa faute, car Dieu a créé tous les hommes pour être heureux.»

Tous les hommes désirent trois choses : la SANTÉ, la RICHESSE, le BONHEUR. «Le bonheur réside dans la réalisation d'une vocation qui satisfait l'âme», écrit Sir William Osler, médecin anglais renommé.

Penser est le travail le moins dur qui soit, mais si vous êtes stressé, ce travail mental devient pénible. Votre esprit fonctionnera mieux si vous êtes détendu et heureux. C'est quand il n'est pas commandé ou forcé que l'esprit travaille le mieux. DONC, EN DOUCEUR!

Partout, la nature a inscrit son opposition à la paresse. Tout ce qui cesse de lutter, tout ce qui demeure inactif se détériore rapidement. C'est la lutte pour atteindre un idéal, c'est-à-dire l'effort continu pour aller plus loin et monter plus haut, qui développe la virilité et la personnalité. *Le secret du bonheur ne consiste pas à faire les choses qui nous rendent heureux,* mais à être HEUREUX EN FAISANT CE QUE NOUS AVONS À FAIRE.

Un sage père disait à son fils: «Rien n'a jamais été fait sans travail. Si je ne te laisse en héritage que la volonté de travailler, je te laisse le don le plus inestimable: la joie de travailler.» Je me demande combien de fois ces derniers temps vous avez utilisé le mot PLAISIR en parlant de votre travail. Il est agréable de rencontrer un homme qui semble aimer pleinement son travail.

Nous vivons, nous mangeons, nous aimons, nous procréons, nous travaillons. Pourquoi? Goethe apportait cette réponse: «C'est afin d'élever le plus haut possible la pyramide de mon existence dont la base m'a été donnée toute faite.» C'est un noble idéal que d'essayer de faire de votre vie un véritable chef-d'oeuvre rempli de joie. Il n'y a rien comme le travail pour chasser les ennuis de votre esprit. ENTREPRENEZ UN TRAVAIL

QUE VOUS AIMEZ. L'argent que vous en retirez devrait être secondaire. Les résultats du travail sont la SANTÉ, le BONHEUR, la STABILITÉ et la PERSONNALITÉ.

Avec quelle rapidité se détériore celui qui se retire de la vie active. Les gens les plus malheureux sur terre sont ceux qui n'ont rien de valable pour les occuper. Un travail utile et agréable est le secret du bien-être mental et physique. ON NE PEUT ÊTRE VRAIMENT HEUREUX À MOINS D'AVOIR UN TRAVAIL QUI NOUS CONVIENNE, UNE OCCUPATION DANS LAQUELLE ON PUISSE ENGAGER SON COEUR ET QUI PERMETTE À TOUTES NOS FORCES INTÉRIEURES DE S'ÉPANOUIR.

Le bonheur est une habitude

LE BONHEUR EST UNE HABITUDE! DÉVELOP-PEZ-LA! Le bonheur est une habitude au même titre que l'inquiétude. L'esprit crée un schème et le reproduit sans cesse tout au long du jour, durant toute la vie. Le schème peut être constructif ou destructif; à vous de le décider tous les jours. C'est AUJOURD'HUI qu'il faut être heureux. On a souvent dit que ce que l'on est détermine ce que l'on fait. Pas toujours. Il se peut que vous soyez bien meilleur que vos pires actions; il se peut que vous soyez pire que vos meilleures actions. Ce que vous faites HABITUELLEMENT, voilà ce que VOUS êtes.

LES HABITUDES COMMANDENT LARGEMENT NOTRE VIE. L.G. Elliot écrit: «La multitude de câbles qu'on appelle les habitudes, les attitudes, les désirs, suspend le long tablier du pont qu'est votre vie. Ce que vous faites dans la vie dépend beaucoup de l'ardeur de votre désir, de votre volonté énergique de travailler, de planifier, de coopérer et d'utiliser vos ressources. La multitude de câbles que vous tissez actuellement supporte le long tablier du pont qu'est votre vie et voilà ce qui fait l'importance du jour d'aujourd'hui. Tissez des câbles résistants!»

LE BONHEUR NE DÉPEND PAS DE CE QUI NOUS ENTOURE MAIS DE NOTRE ATTITUDE. Une vie remplie de succès terrestres est pleine de périls et d'inquiétudes. L'habitude d'être heureux permet de se défaire presque entièrement de la domination des conditions extérieures. *Si un homme n'a pas l'élément du bonheur en lui-même, ce n'est pas la beauté et la variété des choses, les plaisirs et les intérêts du monde entier qui vont le lui procurer.* Ce qu'un homme EST contribue davantage à son bonheur que ce qu'il A.

L'homme est un ensemble d'habitudes. Toutes et chacune des aptitudes nécessaires à la réussite sont acquises par l'habitude. L'homme forme des habitudes et les habitudes forment son avenir. Si nous ne prenons pas délibérément de bonnes habitudes, nous en prendrons inconsciemment de mauvaises. *VOUS êtes ce que vous êtes parce que vous avez pris l'habitude d'être ainsi et la seule façon de vous améliorer est de changer vos habitudes.* L'unique remède pour guérir une mauvaise habitude, c'est de la remplacer par une bonne.

C'est un fait acquis que le SUCCÈS EST UNE HABITUDE. L'ÉCHEC EN EST UNE ÉGALEMENT. Ce qui compte, c'est que l'homme choisisse lui-même son modèle de pensée. Il fait le calque de son avenir et choisit la méthode qui lui convient. L'HOMME SE FAIT LUI-MÊME, PERSONNE NE PEUT LE FAIRE POUR LUI ; IL DOIT FAIRE LE TRAVAIL LUI-MÊME. L'homme est l'artisan de ses succès, mais il l'est également de ses échecs. Le succès n'est pas l'effet du hasard et la CLÉ DU SUCCÈS EST D'ACQUÉRIR LES HABITUDES QUI Y CONDUISENT.

Dans la vie, en observant ce que les autres font, en écoutant ce qu'ils disent et en lisant ce qu'ils ont écrit, des idées parviennent alors jusqu'à nous. On en rejette quelques-unes, on en retient d'autres et on essaie d'y donner suite. Des modèles de pensée et d'action se développent et deviennent des habitudes. Désapprendre les mauvaises choses est beaucoup plus difficile que d'apprendre d'abord les bonnes choses.

Doucement et imperceptiblement, vous formez des habitudes qui, en fin de compte, déterminent le degré de votre bonheur et de votre succès. Surveillez de près la QUALITÉ de vos pensées afin qu'elles vous conduisent à de BONNES HABITUDES. *Un des secrets du bonheur est de s'habituer à mettre l'accent sur les CHOSES AGRÉABLES* et à rejeter constamment les mauvais éléments. Les hommes créent leur propre univers ! Le péché et l'égoïsme creusent des rides profondes sur la figure. CULTIVEZ L'HABITUDE DU BONHEUR !

Le bonheur dépend de vous

«Tout homme devrait commencer par lui-même et faire d'abord son propre bonheur. Le bonheur du monde entier s'ensuivrait indiscutablement», écrivait Goethe.

La satisfaction et le bonheur ne sont pas des biens qui s'achètent et ils ne dépendent pas de la quantité de biens que nous possédons. CE N'EST PAS OÙ NOUS SOMMES, NI CE QUE NOUS AVONS OU POSSÉDONS qui nous rend heureux ou malheureux, C'EST CE QUE NOUS SOMMES. Un homme pauvre peut être très heureux et un homme très riche peut être pitoyablement misérable. Le bonheur est une disposition qu'on fabrique soi-même. Le bonheur a sa source dans la maturité émotionnelle. Balzac écrivait: «Le bonheur dépend de ce qui repose en nous.»

Le bonheur le plus désiré est celui qui comporte À LA BASE UN ÉTAT DE SATISFACTION. Écoutez le sage saint Paul: «J'ai appris en effet à me suffire en toute occasion.» (Ph 4:11) Notre but devrait être d'ÊTRE TOUJOURS SATISFAITS de ce qu'on a, jamais de ce qu'on est. Assurément, il est bon d'aspirer à des choses valables, mais tout ce qui dépasse les limites de la modération nuit à la vie d'une personne. Et il y a une foule de choses que nous faisons qui sont sans valeur.

Ella Wheeler Wilcox nous servait cet avertissement : « Je vais être heureuse aujourd'hui quoique le ciel soit nuageux et gris. Peu importe ce qui adviendra, je vais être heureuse aujourd'hui. »

Soyez sincère avec vous-même. Aimeriez-vous qu'un grand romancier comme Dickens, Hugo ou Balzac mette à nu votre comportement, vos actes, vos paroles, vos pensées, vos motifs et projette sur vous un éclairage tel que le monde entier connaîtrait toute la vérité sur vous ? Quel changement aimeriez-vous apporter à cette image ? Êtes-vous ce genre d'homme dont vous aimeriez voir le monde se tisser ? Si non, pourquoi ? Quelles améliorations devriez-vous apporter chez vous dont vous approuveriez et qui vous permettraient de devenir ce type d'homme que vous aimeriez voir s'accroître, se multiplier et couvrir la terre ?

Chaque jour qui passe apporte son fardeau particulier et ses responsabilités. À ce genre de guerre, Salomon aurait dit qu'*il n'y a pas de démobilisation.* Jour et nuit, on vit dans les soucis et l'anxiété. D'autre part, CHAQUE JOUR APPORTE SES JOIES ET SES COMPENSATIONS.

John R. Heron, écrivain renommé du bulletin de la Banque Royale du Canada, écrit : « Il y a cinq éléments qui constituent une vie heureuse : la santé, le travail, l'intérêt, les amitiés et la poursuite d'un idéal. Mettez-vous à la recherche de vos qualités pour les développer et de vos défauts pour les réduire. »

VOTRE BONHEUR DÉPEND DE VOUS. Votre esprit vous appartient et personne, si ce n'est vous, ne peut l'utiliser. Vous devez MAÎTRISER VOTRE LANGUE. Votre vraie vie, ce sont vos pensées. Vos pensées, c'est vous qui les fabriquez. Votre caractère, c'est votre oeuvre. Il vous faut prendre vos propres décisions. Il vous faut accepter les conséquences de vos actes. Il vous faut créer vos propres idées. Vous seul pouvez contrôler vos habitudes. Vous devez créer vos propres idéaux. Il vous faut ériger votre propre monument... ou creuser votre propre fosse. Lequel êtes-vous en train de faire ?

Des valeurs significatives

Selon un récent sondage, les gens ne sont heureux qu'à 20 %. Pourquoi ? Parce qu'ils ont perdu la notion des vraies valeurs de l'existence. Pour vivre en sécurité et être heureux, conformez votre vie aux valeurs que vous voulez y introduire.

Fixez-vous un idéal moral car, sans cela, la vie sera dépourvue de satisfaction et les gains matériels deviendront cendres et poussières. Développez votre fierté en déterminant exactement quelles sont vos valeurs, puis imposez-vous d'y adhérer en tout temps.

Le secret de l'art de vivre heureux est d'APPRENDRE À DISCERNER CE QUI EST PRIORITAIRE et d'en évaluer CORRECTEMENT LA VALEUR. Nous ne pouvons nous attacher sans danger à une valeur matérielle, quelle qu'elle soit. La valeur de nos biens matériels change constamment, parfois d'un jour à l'autre. Rien de cette nature n'a de valeur permanente. Les valeurs qui ont un sens sont celles que vous gardez toute votre vie ; elles vous donnent le bonheur et la joie et vous enrichissent : Ce sont les valeurs humaines.

Jeremy Bentham écrit : « Le but commun de tous les efforts humains est le bonheur. » Si vous savez quand rire, vous avez presque appris l'art de vivre.

Nous ne pouvons donner une définition de Dieu, ni des valeurs réelles dans la vie. Pour quelle valeur vaut-il la peine de vivre ou de mourir ? La beauté, la vérité, l'amitié, la bonté, l'amour, la création... Voilà les grandes valeurs de la vie. On ne peut pas les expliquer, mais elles sont les choses les plus stables dans nos vies.

QUAND, AVEC LE COMPAGNON DE VOTRE VIE, VOUS AVEZ L'AMOUR, LE BONHEUR ET L'INTIMITÉ, VOUS AVEZ TOUT. C'EST L'AMOUR DES GENS QUI VAUT QUELQUE CHOSE ET NON LES CHOSES. Les animaux eux-mêmes, les oiseaux ont un amour profond et du respect pour leurs compagnons. On ne connaît la visite des anges qu'après leur départ.

Chaque jour devrait être un jour heureux pour les gens équilibrés qui, dans un geste de reconnaissance, savent goûter le simple fait d'être en vie et les vraies valeurs de l'existence que sont la santé, la famille et l'amitié et qui savent voir, goûter et apprécier le travail merveilleux de la nature. Il y a tant de raisons de vivre et tant à faire. Si nous ne jouissons pas de la vie, c'est bien de notre faute. Ruskin disait : « Tous peuvent aimer la vie, mais peu peuvent vraiment atteindre le bonheur. »

La gaieté fait tourner les roues de la vie. Elle rend le travail plus agréable, amoindrit les difficultés et adoucit le malheur. La gaieté engendre une puissance créatrice que le pessimiste ne peut jamais posséder. Du soleil, de l'espérance, de l'optimisme adoucissent la vie, ensoleillent les besognes fastidieuses et inévitables, atténuent les heurts qu'elle nous réserve.

Une multitude de gens de notre génération ont été tellement gâtés par la vie qu'ils en ont PERDU TOUTE

NOTION DE RECONNAISSANCE. Chaque année, nous devrions être plus joyeux que jamais auparavant, car il nous reste de moins en moins d'années devant nous pour être joyeux. VRAIMENT, NOTRE PRIORITÉ DANS LA VIE DOIT ÊTRE LA JOIE.

La folle poursuite des biens matériels est devenue le bandit qui nous a dépouillés de nos richesses de bonté et, en perdant la véritable bonté, notre grandeur a disparu. Nous avons besoin d'un renouvellement du sens de la valeur individuelle. LES VRAIES VALEURS !

Les vrais plaisirs
et les faux

Il y a une différence essentielle entre PLAISIR et BONHEUR. Le plaisir est temporaire, transitoire, grisant. On l'a aujourd'hui et demain il n'est plus. Nous passons des semaines, des mois, des années à le rechercher fiévreusement pour n'y trouver aucune satisfaction qui demeure ni aucun contentement dans sa possession.

« Ne pense pas trouver ton bonheur en dehors de toi dans ce monde de plaisirs troubles, disait Heinrich. C'est dans ton coeur qu'habite ton bonheur, c'est là qu'il faut l'implanter pour toujours. »

Le passé vous a légué des gloires sans nombre, le courage, les vertus et la sagesse de vos aïeux, mais vous êtes aussi l'héritier d'un passé de honte, de lâcheté, de vice et de folie. VOUS êtes libre de choisir. Il vous revient de choisir celui que vous ferez vôtre.

Un homme peut parvenir à la limite de ses idéaux. Nous façonnons notre bonheur selon notre âme. Si nous détachons le carcan qui enserre notre cou, si nous enlevons les obstacles, notre vie peut être une joyeuse expérience.

Ceux qui cherchent le plaisir dans « le vin, les femmes et les chansons », ou dans mille et une autres manières frivoles et dommageables, se rendent souvent compte que finalement tout cela conduit à un grand malheur. Fuyez les plaisirs qui ont des lendemains douloureux. De fait, nos plaisirs peuvent conduire à de grands malheurs. On définit le bonheur *comme une expérience agréable qui jaillit de quelque chose de bon, de quelque chose qui satisfait.* On définit le plaisir comme *une sensation agréable, une émotion, un assouvissement, un délice.*

« Tout s'accorder dans la vie, être de bons vivants, comme on dit à tort, est une misérable caricature du bonheur, nous prévient Lord Avebury. Ceux qui en sont devenus les victimes se plaignent du monde, alors qu'ils n'ont qu'eux-mêmes à blâmer. »

Pourquoi les gens, sous prétexte de plaisir, s'adonnent-ils à des divertissements qui invariablement doivent conduire à une mauvaise santé, au malheur ? Ne devraient-ils pas s'arrêter pour réfléchir ? S'adonner à trop de plaisirs, c'est comme faire irruption dans un nid de guêpes... IL Y A PLUS DE PIQÛRES QUE DE PLAISIRS. Tout EXCÈS a ses EFFETS, ses RÉPERCUSSIONS, ses RELIQUATS. Tout ce qui excède les LIMITES DE LA MODÉRATION a un FONDEMENT INSTABLE.

La débauche des soldats d'Hannibal en Campanie l'ont affaibli, lui que ni les neiges ni les Alpes n'avaient pu vraincre ; vainqueur par les armes, il fut vaincu par les plaisirs.

Pour se faire une idée des souffrances de nos compatriotes, nous n'avons qu'à jeter un coup d'oeil sur leurs plaisirs. TOUT PLAISIR PEUT S'ACHETER AU PRIX

DE LA DOULEUR. Voici quelle est la différence entre un faux plaisir et un vrai : Le prix du vrai plaisir se paie avant d'en jouir, celui du faux après en avoir joui.

John Lubbock écrit : « Les vrais plaisirs sont innombrables ou presque. Les relations, les amis, la conversation, les livres, la musique, la poésie, l'art, l'exercice, le repos. Les beautés et les changements variés de la nature, l'été et l'hiver, le matin et le soir, le jour et la nuit, le ciel bleu et l'orage, les forêts et les champs, les rivières, les lacs et les mers, les animaux et les plantes, les feuilles et les fruits n'en sont que quelques-uns. »

En quête de la joie

Quelqu'un a dit : « Le monde entier est à la recherche du bonheur. » En fait, le monde entier est à la recherche de quelque chose d'infiniment plus profond et plus durable que le simple bonheur. Ce quelque chose, c'est la JOIE. LA JOIE EST UNE SATISFACTION INTÉRIEURE, UN ÉTAT D'ÂME.

Conrad Richter écrit : « La principale richesse de la vie, que les planificateurs modernes ont par erreur qualifiée de facilité, est en réalité de la JOIE. » La joie, c'est la prospérité spirituelle. Sur votre bureau, il y a une devise : « SOURIEZ ! » Comment se fait-il que cette inscription soit affichée dans autant de bureaux d'affaires ? Essayez dans votre bureau. La joie fait resplendir les figures et celui qui a le coeur joyeux est continuellement en fête.

Ce n'est pas un simple jeu de mots de dire qu'il y a une différence entre joie et bonheur. *La joie est une communion permanente avec Dieu qui ne peut être modifiée par les vicissitudes de la vie.* Le bonheur peut n'être qu'un bonheur artificiel, éphémère, fondé sur la quantité de biens que l'on possède. La joie est l'union profonde, durable et spirituelle avec un Dieu immuable.

Le plaisir et le bonheur diffèrent de la joie. Un homme malveillant et cruel peut avoir du plaisir, tandis qu'une personne ordinaire peut être heureuse. Généralement, le plaisir prend sa source dans les biens et s'exprime toujours par les sens, tandis que le bonheur prend sa source chez les humains à travers l'amitié. La joie vient d'un Dieu qui nous aime.

Le Seigneur nous enseigne la formule de la joie : « Dis et fais ce que tu veux en présence du Seigneur. Aie confiance et obéis à la Parole de Dieu. » Je crois que la racine de tout bonheur sur cette terre repose dans la réalisation d'une vie spirituelle consciente qu'il existe quelque chose de plus grand que le matérialisme ; elle repose sur la capacité de vivre dans un monde qui ne vous rend pas égoïste parce que vous n'êtes pas trop inquiet de votre situation personnelle ; cette vie spirituelle qui vous rend tolérant parce que vous réalisez votre propre faillibilité humaine, cette vie spirituelle qui donne la tranquillité sans complaisance parce que vous croyez en quelque chose de plus grand que vous.

Jésus-Christ a dit : « ... Au sein même de l'abondance, la vie d'un homme n'est pas assurée par ses biens. » (Lc 12:15) Ces paroles sont des plus réconfortantes pour un monde qui a perdu la tête et dont le coeur est affamé d'affection. Le vide et la futilité d'un bonheur superficiel viennent de sa dépendance des choses, des compagnons agréables, des beaux vêtements, d'un compte en banque, d'une belle maison. Bien sûr, toutes ces choses contribuent au bonheur, mais le fait est qu'ELLES NE SONT PAS ESSENTIELLES À LA VIE.

LA JOIE EST UNE SOURCE VIVANTE PROFON-
DÉMENT ENFOUIE DANS LA VIE INTÉRIEURE ET
QUI NE DÉPEND PAS DES BIENS MATÉRIELS.
Nous vivons dans un monde désordonné. Jésus-Christ a
dit : « Dans le monde, vous aurez à souffrir », mais il
ajouta : « Gardez courage ! » (Jn 16:33).

Dans la pratique, que gagnerez-vous à rechercher la
joie autant que le bonheur ? La JOIE, C'EST LA FOR-
CE. L'Ancien Testament dit : « La joie de Yahvé est votre forteresse ! » (Ne 8:10) L'homme qui vit dans la joie
surpassera tous les autres par sa force spirituelle, son
équilibre et son efficacité. La joie, c'est la satisfaction et
la satisfaction est la force positive et créatrice nécessaire
à la vie ; elle apportera la santé autant que le bonheur.
LA JOIE, C'EST LA PROSPÉRITÉ SPIRITUELLE. LA
JOIE VOUS DONNE UN SENTIMENT INTÉRIEUR
DE PAIX.

Salomon a dit : « Il n'y a pas de richesse plus grande
que la santé du corps, il n'y a pas de joie plus grande
que la joie du coeur. Un coeur joyeux améliore la santé,
un esprit déprimé dessèche les os. Ne te réjouis jamais
des malheurs des gens car tu ne peux savoir quand l'adversité s'abattra sur toi. »

L'amour de Dieu
apporte la joie

LE COEUR HUMAIN N'EST JAMAIS SATISFAIT.
Il recherche la paix que seul l'amour de Dieu et l'accueil
total qu'on lui réserve peuvent apporter. En d'autres termes, SEUL DIEU PEUT SATISFAIRE L'ÂME HUMAI-
NE. L'homme n'est complet ou entier que lorsqu'il possède cette union spirituelle avec le Créateur de la vie. Et
cette croyance, si elle est authentique, rend un homme
dix fois plus homme qu'il ne l'était auparavant.

Peu importe ce que vous vivez actuellement, grâce à
Dieu, votre situation n'est pas désespérée. Soyez une per-
sonne qui A FOI en Dieu. Si nous choisissons de ne pas
participer aux batailles de la vie, nous n'aurons d'autre
choix que d'être privés des récompenses de la victoire.
LA VÉRITABLE PROSPÉRITÉ, C'EST DE SE SA-
VOIR CAPABLE DE COMPTER SUR L'AIDE DE
DIEU POUR FAIRE FACE À TOUS LES BESOINS
PHYSIQUES, MENTAUX, SPIRITUELS, FINANCIERS
OU SOCIAUX. LA FOI, C'EST LE NOM DE LA
PUISSANCE CRÉATRICE DE DIEU.

Le secret des jours heureux ne réside pas dans nos affaires extérieures mais dans notre propre coeur. « Le
royaume de Dieu est au milieu de vous. » (Lc 17:21) Qui
dit royaume dit empire et Dieu est notre roi, nous som-

mes citoyens du royaume et Dieu habite dans notre coeur. Quand cette condition se réalise chez un individu, un véritable flot de joie jaillit de son coeur comme d'une source. C'est l'unique moyen permanent d'avoir cette paix de l'âme qui jaillit sous forme de joie, de satisfaction et de bonheur. Et le seul moyen d'avoir un bonheur assuré, c'est d'avoir l'esprit et le coeur remplis de l'amour de l'Infini et de l'Éternel.

Le succès et le bonheur reposent sur la capacité de croire et dans une foi permanente en un pouvoir supérieur. AVOIR LE SENS DE DIEU n'est pas seulement UNE RÉELLE SÉCURITÉ POUR VOUS, *c'est aussi l'une des réalisations humaines les plus réconfortantes :* C'EST L'ART DU VRAI BONHEUR.

L'échec de l'homme à bâtir un monde heureux où il y a partage des dons de Dieu et où l'homme est heureux de vivre avec l'homme, cet échec est dans l'homme lui-même. La puissance dont l'homme a besoin est celle de l'amour qui jaillit du contact vivant avec Dieu.

Dans le coeur de chaque individu, il y a un APPÉTIT, une aspiration à quelque chose qu'on ne peut trouver en ce monde. C'est l'âme qui aspire au réconfort spirituel d'une amitié avec Dieu, le Pouvoir suprême. Séparé de Dieu, l'homme existe, mais ne vit pas ; loin de Dieu et de sa parole, l'homme ne peut que se perdre en conjectures, théoriser, tâtonner et trébucher dans l'aveuglement de son intelligence limitée.

Un homme sage et noble a bien dit : « Il est absolument essentiel que je connaisse Dieu. » Essentiel parce que le temps passera, les choses périront, les rapports humains cesseront et les plus brillantes de nos espérances deviendront mornes et stériles. Nous n'avons pas non plus besoin de preuve plus convaincante que le fait que nous nous lassions si vite des «joies qui nous font vibrer». *Ressentir l'Infini est ma seule espérance de trouver le Dieu inépuisable et Dieu seul est* LA RÉPONSE AUX EXIGENCES INFINIES DU MOI INFINI QUI EST EN MOI.

Que les esprits superficiels rejettent et ridiculisent comme ils le peuvent, le fait demeure que dans la vie, la vérité de Dieu est au centre de toute éducation car il n'y a aucune explication de l'univers ni de l'homme si nous mettons de côté le génie créateur de Dieu.

Notre manière
d'affronter la vie

« Je suis de plus en plus convaincu que notre bonheur ou notre malheur dépendent beaucoup plus de notre manière d'affronter la vie que de la nature des événements eux-mêmes », nous dit Humboldt. Rien dans la vie n'est IMMUABLE et on doit APPRENDRE à faire des ajustements.

N. W. Hillis écrit : « C'est le propre de la vie de croître ; on peut trouver dans tous les événements un élément d'éducation et dans tout travail un raffinement de culture. Il s'ensuit que les troubles et l'adversité sont des maîtres de choix. Cependant, il y a du bonheur latent dans toute forme de troubles et de souffrances. Si l'âme a été bâtie pour le bonheur, alors le bonheur doit être possible en dépit des misères et des tristesses. »

La victoire sur les événements de la vie... Il n'y a pas de situation si pénible, d'occupation si humble, de voisinage si mauvais, de tentations si cruelles dont l'âme ne puisse sortir victorieuse. De fait, ce n'est pas ainsi que vous voudriez que les choses soient. Ce n'est pas ainsi que les choses semblent se passer. PUISQUE EN RÉALITÉ, ELLES SONT AINSI, IL FAUT DONC Y FAIRE FACE POUR ÊTRE HEUREUX.

Quand Channing, cet illustre savant, cet orateur et auteur de renom, fut frappé d'incapacité physique, il dit : « Il m'est impossible de parler ou d'écrire mais non pas d'aspirer pouvoir le faire. Pour vivre, je me contenterai de peu ; je chercherai l'élégance plutôt que le luxe, le raffinement et non la mode ; j'ambitionnerai d'être quelqu'un de valeur et non un riche. Je penserai calmement, j'agirai avec bravoure, j'attendrai les occasions et je ne me presserai jamais. » C'est en se perfectionnant que l'homme atteint de plus en plus de maîtrise sur les événements.

LA VIE NE SE CALCULE PAS UNIQUEMENT PAR LES ANNÉES ; LES ÉVÉNEMENTS SONT SOUVENT LES MEILLEURS CALENDRIERS.

On dit de presque toutes les heures de crise : « Voici des heures qui permettent de juger de la valeur de l'âme. » Eh bien, mon observation est celle-ci : La vie quotidienne, celle de tous les jours, est le test le plus exact de tous. Il y a toujours des époques dans la vie où les choses ne vont pas de la manière que l'on veut. Celui qui s'en va droit son chemin, content, heureux, sans stress inusité dû à des circonstances qui obligent à telle démarche, est en réalité un héros.

Les revers que personne n'aurait pu prévoir s'abattent sur l'homme et la bonne fortune d'une vie entière fond comme neige au soleil ; les ennemis surgissent pour miner sa réputation et le ciel fait pleuvoir des mensonges abusifs et cruels ; le bonheur est bientôt empoisonné à sa source même. Les circonstances changent soudainement et on est souvent pris par surprise. Il faut tenir compte de l'adversité alors que l'on fait face à une situation grave.

Platon disait : « Le conflit est noble, et sublime l'espérance. » Engageons-nous donc dans un combat pour notre bonheur, combat qui est aujourd'hui plus nécessaire que jamais. Voltaire écrivait : « La vie est un combat », et il ne disait pas cela pour rire. Les événements s'accumulent dans la vie de tous mais leurs effets dépendent entièrement de l'individu. Fanny Crosby écrivait : « Je suis la plus heureuse des âmes. Si je n'avais pas été privée de la vue, je n'aurais jamais reçu une aussi bonne éducation, je n'aurais pas développé une mémoire aussi fidèle et je n'aurais pas été capable de faire du bien à autant de gens. »

Adversité et souffrance

Le bonheur est bon pour le corps, mais L'ADVERSI-
TÉ RENFORCE L'ESPRIT. Il y a une douce joie qui
émane de l'adversité. Pour aimer tous les hommes, des
plus grands jusqu'aux plus petits, il faut une bonne dose
de jovialité dans son être ; mais pour compatir, pour lire
dans le coeur des hommes, dans leur vie et encore plus
en nous, il faut avoir souffert.

Pensez à ce que nous manquerions sans souffrance :

Sans douleur, on ne connaîtrait pas la pitié.
Sans danger, on ne développerait pas de courage.
Sans recevoir d'injures, on ne saurait pardonner.
Sans affliction, on ne pourrait éprouver sa force.
Sans injustice, on n'aurait aucune occasion d'être
indulgent.
Sans violence, on ne pourrait développer une maîtrise
personnelle.

Adrian Anderson écrit : « Durant vingt ans, la vie du
grand artiste français Renoir en fut une de douleur et de
souffrance. Le rhumatisme avait placé son corps comme
dans un étau et déformé ses doigts. Souvent, quand il te-
nait son pinceau entre le pouce et l'index et appliquait
lentement et avec peine ses peintures à ses toiles, la sueur

ruisselait sur son front tant sa souffrance était grande. Renoir ne pouvait pas se tenir debout pour travailler ; on devait l'asseoir dans une chaise que l'on montait et descendait pour lui donner accès aux différentes parties de sa toile. En regardant une de ses toiles favorites, Renoir disait : La douleur passe, mais la beauté demeure. »

C'est de l'intérieur de l'homme que naissent bonheur et souffrance. Plusieurs grands invalides ont supporté leurs souffrances avec gaieté et bonne humeur. Il y a un paradoxe dans le bonheur parce qu'il peut coexister avec l'épreuve, l'adversité, la pauvreté. C'est une joie intérieure qui nous élève au-dessus de toutes les conditions.

Pourquoi les hommes bons souffrent-ils ? Sans aucun doute, une grande part de la souffrance dans le monde résulte des infractions aux lois de la nature qui contribuent à notre plus grand bien.

Mais, dans le cas des hommes bons, la souffrance sert à tout autre chose. Elle perfectionne et ennoblit le caractère, augmente notre habileté à sympathiser et à servir, encourage le développement des plus grandes grâces et vertus, telles la miséricorde, la sympathie et la compréhension humaine. Les hommes bons souffrent PARCE QUE, SANS LA SOUFFRANCE, IL NOUS EST IMPOSSIBLE DE PERFECTIONNER NOTRE CARACTÈRE et de libérer la compassion des profondeurs de l'âme.

C'est le lot de l'homme de souffrir ; c'est aussi sa chance d'oublier et d'être heureux. Nietzsche disait : « Ce qui ne me tue pas, me rend plus fort. » L'intensité de la souffrance humaine est absolument relative. Il s'ensuit ainsi que la moindre chose peut être la cause de la plus grande des joies.

La souffrance est comme un alchimiste qui raffine ce qui est grossier, tranforme le mal en bien, change l'orgueil en modestie et l'égoïsme en sympathie. Ce principe donne un fondement sûr à une véritable théorie du bonheur. Il nous enseigne aussi pourquoi tout héros, saint, martyr et le petit nombre d'immortels qui nous sont chers sont tous devenus « parfaits en passant par le creuset de la souffrance ».

Combien sommes-nous redevables à la vaillante phalange des handicapés, hommes et femmes, qui ont défilé en rangs serrés à travers les siècles, exhibant le triomphe sur leurs figures et la joie dans leurs coeurs. Tout homme doit aller au feu. Cela veut dire que durant votre vie, vous aurez à connaître de grandes souffrances et à faire face à l'adversité ; vous aurez alors besoin de l'aide de Dieu pour sortir vainqueur de vos problèmes.

L'espérance:
un élément du bonheur

Sur la route des joies saines et du bonheur, il y a un guide qu'on appelle l'ESPÉRANCE. C'est l'espérance qui fait chanter notre coeur. La puissance de l'ESPÉRANCE sur l'effort humain et le bonheur est merveilleuse. L'espérance est l'ingrédient qui change tout.

Les trois choses essentielles au bonheur dans cette vie, c'est d'avoir QUELQUE CHOSE À FAIRE, QUELQUE CHOSE À AIMER ET QUELQUE CHOSE À ESPÉRER. «L'espérance elle-même est une espèce de bonheur et peut-être le principal bonheur que le monde puisse se procurer», écrivait Samuel Johnson.

On peut jouir du bonheur de trois façons: PAR ANTICIPATION, AU MOMENT DE SA RÉALISATION, DANS LE SOUVENIR. Il se peut qu'une source abondante de vrai bonheur se trouve dans l'attente, dans l'ESPÉRANCE de rencontrer de nouveau ceux que nous avons aimés et perdus.

Mon ami avait été sérieusement malade à l'hôpital. Plusieurs jours après son opération, je lui rendis visite. Je le trouvai la figure resplendissante de joie et il m'accueillit avec le sourire aux lèvres. «Mon médecin vient justement de prononcer les trois mots les plus encourageants jamais entendus, dit-il. Ce matin, il est entré dans ma chambre, a posé sa main sur mon épaule et m'a dit : Tu vas vivre. » Mon ami me dit que ces trois mots avaient opéré des merveilles dans sa vie. On aurait dit qu'il venait juste de passer d'un sombre tunnel à la pleine lumière.

Vous êtes maître de votre vie. Ayez foi dans le Pouvoir suprême ; c'est la source d'où naîtra notre ESPÉRANCE et l'ESPÉRANCE est l'un des plus puissants stimulants auxquels on puisse soumettre le corps. L'homme peut atteindre aussi haut qu'il vise.

« Les hommes deviennent souvent ce qu'ils croient être, disait le mahatma Gandhi. Si je crois ne pas pouvoir faire quelque chose, cela me rend incapable de le faire ; mais quand je crois que je le peux, j'acquiers la capacité de le faire, même si je ne l'avais pas au début. »

Martin Luther disait : « Tout ce qui est fait dans le monde l'est par l'espérance. » L'HOMME QUI ESPÈRE entrevoit le succès là où les autres n'y voient qu'échec ; il voit le soleil qui brille alors que les autres ne voient qu'ombres et orages. L'homme qui espère croit que LE MEILLEUR EST ENCORE À VENIR et il peint en rose les jours heureux qu'il entrevoit. LES GRANDES ESPÉRANCES FONT LES GRANDS HOMMES.

« Les hommes que j'ai vu le mieux réussir dans la vie ont toujours été ceux qui étaient gais et débordants d'espérance, disait Charles Kingsley, ceux qui conduisaient leur entreprise le sourire aux lèvres et qui faisaient face aux changements et aux hasards de cette vie mortelle comme des hommes qui prennent la vie telle qu'elle se présente dans ses bons et ses mauvais côtés.» AYEZ CONFIANCE EN VOUS et le monde vous accueillera en conséquence. VIVEZ DANS LA CONFIANCE.

«Ça vaut son pesant d'or d'avoir l'habitude de voir le bon côté des choses», disait Samuel Johnson. C'est l'espérance qui soutient presque tous les hommes. Pressez le pas, la victoire vous attend. Sois plein d'espoir, ami, et sois vainqueur. Chacun pense à changer l'humanité, mais personne ne pense à se changer lui-même.

«De toutes les forces qui tendent à rendre le monde meilleur, aucune n'est aussi indispensable ni aussi puissante que l'espérance», dit Charles Sawyer. Le fait de s'attendre au meilleur est un indice de foi dans l'avenir. Aux heures de détresse et d'incertitude, l'ESPÉRANCE a souvent éclairé la route qui mène à des jours meilleurs.

Formule de bonheur

Le grand Goethe, dans sa sagesse, nous offre les neuf ingrédients requis pour vivre heureux :

1. Suffisamment de SANTÉ pour faire de son travail un plaisir.
2. Suffisamment de RICHESSE pour satisfaire ses besoins.
3. Suffisamment de FORCE pour lutter contre les difficultés et les vaincre.
4. Suffisamment de GRÂCE pour confesser ses péchés et y renoncer.
5. Suffisamment de PATIENCE pour travailler à la sueur de son front jusqu'à ce que quelque chose de bon soit fait.
6. Suffisamment de CHARITÉ pour voir du bien chez son voisin.
7. Suffisamment d'AMOUR pour se rendre utile et serviable aux autres.
8. Suffisamment de FOI pour faire passer dans sa vie les choses de Dieu.
9. Suffisamment d'ESPÉRANCE pour enlever toute crainte de l'avenir.

Les gens les plus heureux ont appris à se contenter de ce qu'ils ont, jamais de ce qu'ils sont.

Abraham Lincoln avait une formule toute simple pour être heureux : « Ne vous tracassez pas ; mangez trois repas par jour ; soyez poli avec vos créanciers ; tenez votre digestion en bon état ; faites de l'exercice ; ne vous pressez pas et prenez la vie du bon côté. La plupart des gens sont aussi heureux qu'ils ont décidé de l'être. »

Dans les Béatitudes, qui s'appliquent à tout le monde, Jésus a donné une FORMULE de bonheur personnel. Si, par bonheur, on veut parler de sérénité, de satisfaction, de paix, de joie, d'épanouissement de l'âme, IL NOUS ENSEIGNE COMMENT FAIRE FACE À TOUS LES PROBLÈMES QUOTIDIENS AVEC LES RESSOURCES DE LA FOI CHRÉTIENNE.

Le rire est le meilleur médicament pour s'assurer une vie longue et heureuse. Un éclat de rire débarrasse des ennuis, des soucis, des doutes et atténue le stress de la vie moderne. Ethel Barrymore disait : « Vous devenez adulte quand vous riez vraiment pour la première fois... de vous-même. »

Un caractère agréable et un sourire qui vient du coeur ont une influence sanitaire et relaxante sur le corps. Que toujours au-dedans de vous il y ait paix et harmonie. « Que votre coeur ne se trouble pas » (Jn 14:1), car cela réduit vos forces vitales, CE SONT LES SOUCIS ET LE STRESS QUI ONT DES EFFETS NÉFASTES SUR LE COEUR.

Un philosophe français écrit : « Le monde entier est follement à la recherche de la sécurité et du bonheur. » Que vos pensées soient des pensées de bonheur, que vos actes soient orientés vers le bonheur, fréquentez des gens heureux. RIEZ FRANCHEMENT TOUS LES JOURS, même si c'est pour des riens.

Voyez toujours le bon côté des choses, soignez votre gaieté, collectionnez le plus possible d'histoires drôles que vous pouvez raconter à vos amis. Apprenez à vivre dans la sérénité, la joie et la confiance en dépit de cette jungle de frustration et de confusion, car la tension constante est cause de maladie et de malheur. C'EST EN VIVANT QU'ON TROUVE LA JOIE DE VIVRE.

De tout temps, les poètes, les prêtres, les philosophes, les savants, les professeurs, les prédicateurs et les leaders ont cherché une formule simple à l'ÉTERNELLE QUÊTE DE L'HUMANITÉ POUR UNE VIE HEUREUSE ET REMPLIE. Car, en fin de compte, le bonheur est ce que tous les gens désirent, peu importe de quelle manière ils le recherchent. *Être heureux, c'est le but ultime de toute ambition, de tout effort, de toute espérance et de tout projet.*

Sachez jouir
des beautés de la nature

Le secret du bonheur, c'est D'APPRENDRE À CONNAÎTRE LA NATURE ET LA VIE. Cela fait découvrir le vrai sens du bonheur et de la vie. La vie des hommes est à son meilleur quand ils possèdent peu ; trop de richesses accaparent la vie d'un homme et il devient esclave des biens matériels. Aujourd'hui, il faut posséder à tout prix. Dans le plan de la nature, le bonheur est à la portée de tous dans la mesure où l'on veut apprendre à se servir de ses dons. *Ce qui fait le bonheur, ce n'est pas la quantité des biens que l'on possède, mais la joie qu'on en retire.*

Tous les hommes sans exception se proposent d'être heureux. Si tous les hommes étaient heureux, la violence cesserait, CAR LE JOUR OÙ L'ON DEVIENT HEUREUX, ON DEVIENT SAGE. Le bonheur est un état d'esprit dû à la détente. C'est parce qu'on n'est pas suffisamment détendu qu'on est malheureux.

Hawthorne croyait que le « bonheur est comme un papillon : Quand on le poursuit, il est toujours hors d'atteinte, mais quand on s'assied paisiblement, il peut se poser sur nous ».

La jouissance est un état du COEUR et de l'ESPRIT grâce auquel on se sent bien et heureux avec les gens et les choses. C'est un flot de joie et de paix qui origine du coeur comme une source qui jaillit du sol. Cette joie saine est spirituelle et elle demeure indéfiniment sereine et plaisante alors qu'elle s'intègre à notre nature.

Aussi loin que peuvent remonter mes souvenirs, j'ai été amoureux de la nature. Les voix de la nuit, le murmure du ruisseau, le vent dans les branches, les nuages à la dérive m'ont toujours apporté un message que mon coeur a compris et auquel il a répondu. Mon coeur tressaille de joie à la vue d'un arc-en-ciel à l'horizon. Demeurez en rapport intime avec le coeur de la nature et oubliez les troubles de ce monde.

Ce qui contribue beaucoup à rendre heureux, c'est d'être capable de jouir des biens de la nature. Ils sont à la portée du plus pauvre des hommes car de tels bienfaits sont gratuits. Gravissez les montagnes et entendez leurs bonnes nouvelles. Et pendant que les rayons de soleil caressent les arbres, la paix de la nature inondera votre coeur. JOUISSEZ DU MOMENT PRÉSENT ! Si on ne peut pas trouver le bonheur dans le moment présent, comment pouvons-nous nous attendre d'être heureux dans l'avenir ?

« Même si nous parcourons le monde entier à la recherche du beau, disait Emerson, cette beauté, il faut l'avoir en soi, sinon on ne la trouvera pas. » Les levers et les couchers de soleil sont si beaux qu'on a presque l'impression de regarder par les portes entrebâillées du ciel. Tel homme expérimentera une joie intense à la vue d'un paysage, devant un arbre et son feuillage, des fruits et des fleurs, un ciel bleu, des nuages ouatés, la mer étincelante, un lac qui frissonne, le reflet d'une rivière, des ombres sur le gazon, la lune et la voûte étoilée de la nuit.

Pour tel autre homme, la beauté de la nature n'est rien. C'est en vain que brillent la lune et les étoiles ; les oiseaux, les insectes, les arbres, les fleurs, les rivières, les lacs et la mer ne lui apportent aucune joie.

« On ne cultive pas suffisamment chez nos enfants, pas plus qu'en nous-mêmes d'ailleurs, le sens de la beauté, disait Lord Avebury, et cependant ce plaisir est si pur, si gratuit, si accessible et en vérité toujours à notre portée. »

Les résultats d'une vie heureuse

LES RÉSULTATS...
N'est-ce pas la raison d'être de tout ?
N'est-ce pas le pourquoi de vos objectifs ?
N'est-ce pas la raison d'être de votre vie ?
Les résultats, c'est la preuve d'une bonne manière de vivre.
Le résultat, c'est la preuve positive de la bonne solution et de la bonne méthode.

Une attitude heureuse, aimante et positive est preuve d'une seine maturité.

«Coeur joyeux, excellent remède !» (Pr 17:22) Votre médecin de famille vous dira que la JOIE est un influx générateur de vie qui stimule, purifie et tend à conserver en bon état toutes les sécrétions saines dont la fonction est de bâtir jour après jour des tissus en santé. LA JOIE APPORTE SON CONCOURS POUR AVOIR UNE MEILLEURE SANTÉ PHYSIQUE ET MENTALE.

L'ex-président Dwight D. Eisenhower écrivait : «À moins qu'un individu puisse considérer chaque jour écoulé comme un jour qui lui a procuré du plaisir, de la joie et une vraie satisfaction, ce jour-là est une perte réelle.»

Parfois je crois que ce dont nous avons le plus besoin dans nos vies, c'est la SIMPLIFICATION. Une vie au rendement maximal est celle à laquelle on a apporté des simplifications, une vie où les complications ne s'accumulent pas. *Nos vies sont si souvent encombrées de détails et de choses non essentielles que nous n'avons pas le temps de nous consacrer à ce qui est fondamental et aux choses d'importance comme de VIVRE HEUREUX, par exemple.*

Qu'est-ce que notre vie matérielle peut offrir à l'homme quelques instants après sa mort ? Quand Salomon di sait : « Vanité des vanités, tout n'est que vanité » (Qo 1:2), il voulait dire que l'homme tente de substituer des choses matérielles qui sont futiles et superficielles à des choses SPIRITUELLES. Marie Ray a écrit une belle pensée dont nous devrions nous rappeler chaque jour : « Nous n'avons que le moment présent : Il brille comme une étoile dans nos mains, mais fond comme un flocon de neige. »

Vous apprendrez vite que ce n'est pas tout d'être occupé. Il y a TOUT UN MONDE entre être occupé et être PRODUCTIF. Les uns donnent l'impression de travailler fort mais ils ne produisent rien. Nous sommes en quête de RÉSULTATS. Voilà notre objectif.

Si tout ce que j'ai dit fonctionne, vous aurez un autre problème : celui d'apprendre à mesurer votre richesse réelle non seulement en termes d'argent, mais en termes de BONHEUR, de CULTURE, de BONTÉ.

C'est à travers l'absurdité que l'homme découvre la vérité... en se procurant ce qu'il croyait désirer. En réalisant son rêve du début, il en arrive à posséder toutes les choses que l'argent peut acheter. À la fin, l'homme arrive à se rendre compte d'une chose : QUEL QUE SOIT L'HOMME, C'EST DE L'INTÉTIEUR QU'IL PREND SA VALEUR ET NON DE L'EXTÉRIEUR.

LE SEUL VRAI BONHEUR, LA SEULE VRAIE PUISSANCE QUI AIT UN SENS PROVIENNENT DE LA MAÎTRISE QU'ON EXERCE SUR SOI ET NON SUR LES AUTRES OU SUR LES BIENS.

LE BONHEUR N'EST PAS UNE RÉCOMPENSE, C'EST UNE CONSÉQUENCE. Le BONHEUR n'est pas la fin de la vie. LE CARACTÈRE EXISTE !

L'influence du caractère sur le bonheur

Alors que sa vie tirait à sa fin, Horace Greely prononça ces paroles qui furent presque ses dernières : « Le renom est une fumée, la popularité, un accident, les richesses s'envolent, ceux qui sont dans la joie aujourd'hui auront la rage au coeur demain ; il n'y a qu'une chose qui demeure, le caractère ! »

Ces paroles veulent seulement nous rappeler qu'il n'y a qu'une chose qui importe réellement, c'est de bâtir sa vie. Celui qui réussit à avoir du caractère ne peut être ni faible dans la vie, ni oublié dans la mort. On disait d'un grand et noble Grec : « La bonté d'un homme vaut mieux que la Constitution. » Au moment où Paris baignait dans la tourmente et dans le sang, on rapporte de Lamartine qu'il ne barricadait jamais sa porte car sa protection, c'était sa force de caractère. Ses ennemis eux-mêmes respectaient sa bonté.

Emerson disait : « Il y avait chez Lincoln et Washington une certaine puissance plus grande que leurs paroles. » Les hommes craignaient et respectaient leur noblesse de caractère. Burke, ce grand homme de l'histoire de l'Angleterre, était beaucoup plus fort par ses vertus que par ses propres paroles. Le caractère, le vrai, celui qui est basé sur des valeurs chrétiennes, est lui-même une réussite. Sans lui, le millionnaire lui-même est un échec.

Dans la destinée de chaque être moral, il y a quelque chose qui est plus valable aux yeux de Dieu que le bonheur : C'est le caractère. Le but premier de la création de l'homme, c'est le développement d'un bon caractère et un bon caractère est, de par sa nature intime, le produit de l'amour et de la discipline.

Les flots tourmentés du monde sont l'endroit idéal pour former le caractère. Écoutez ce que nous rappelle le lieutenant général A.G. Trudeau : « Le caractère est quelque chose que chacun de nous doit former en se basant sur les lois de Dieu et de la nature, sur l'exemple des autres et surtout sur les essais et les erreurs de la vie quotidienne. Le caractère est la somme des milliers de petits efforts quotidiens pour vivre en harmonie avec le meilleur de ce qui est en nous. »

Comme c'est dans l'usure du temps et des intempéries que se révèlent les qualités d'un édifice, ainsi se manifestent à l'occasion les qualités du caractère cachées ou latentes. Quand on fait moins que son possible, c'est soi-même qu'on triche. Nous sommes les architectes et les bâtisseurs de nos propres caractères et nombreux sont les matériaux essentiels qui le constituent. Ce ne sont pas la facilité, le succès, les millions ou une vie heureuse qui bâtissent un caractère, c'est surtout à travers les peines, les tristesses de la vie et l'adversité qu'on fabrique les matériaux d'un édifice durable.

Aujourd'hui, les gens de caractère sont en plus grande demande qu'en aucun autre temps de l'Histoire. Au fur et à mesure que se forme un bon caractère, le bonheur grandit et prospère. CE N'EST PAS L'ÉDUCATION MAIS LE CARACTÈRE QUI EST LE PLUS GRAND

BESOIN DE L'HOMME ET SA PLUS GRANDE SÉCURITÉ. Ce n'est pas ce que vous apprenez qui compte, mais ce que vous DEVENEZ. Vous pouvez DEVENIR une personne bonne, aimante, joyeuse, au caractère en or, ou bien devenir un DÉMON BIEN ÉDUQUÉ. Ce système d'éducation est mauvais qui produit de mauvais fruits.

La terre renferme bien des merveilles, mais la plus grande de toutes, c'est l'homme qui fait de sa marche vers Dieu sa première préoccupation et qui se moule selon le plan de l'Infini. Ces paroles de Milton sont très à propos : «L'homme bon, c'est le fruit mûr que notre terre présente au Seigneur.» Le caractère est indispensable à l'homme.

Vos humeurs et leur influence

Votre SANTÉ est votre bien le plus précieux. Vous serez très bien payé en retour de vos efforts pour apprendre les secrets de la médecine préventive et pour éviter la maladie. Les enseignements de la science et de la Bible révèlent l'interaction entre les humeurs, la santé et le bonheur.

Les humeurs sont un effet. Afin de les diagnostiquer, les soigner ou les entretenir selon le cas, il faut en trouver la cause ainsi que leur nature. Dans notre organisme il y a des humeurs qui, comme certains microbes, sont nos amies, d'autres nos ennemies.

La cause des humeurs répréhensibles peut être d'ordre purement physique ou d'ordre mental; il se peut même que ce soit un mélange des deux. Ces deux domaines sont en relation très étroite.

Le fin psychologue William James nous assure que l'esprit avec toutes ses humeurs se superpose au physique. Par esprit, le professeur James entend «le siège et la source de l'être», soit ce que la Bible entend par le mot coeur. «Veille sur ton coeur», nous dit un auteur de l'Ancien Testament, qui ajoute: «C'est de lui que jaillit la vie.» (Pr 4:23) Le passage qui nous dit que l'homme est tel qu'il pense en son coeur ANNONCE LA MÊME

LOI DE LA VIE. Avec sagesse, Paul fait une déclaration qui attire l'attention sur cette même loi et montre sa réaction physique : « Que le Dieu de la paix lui-même vous sanctifie totalement... et que l'esprit, l'âme et le corps soient gardés sans reproche... » (1 Th 5:23) Et encore : « Enfin, frères, tout ce qu'il y a de vrai, de noble, de juste, de pur, d'aimable, d'honorable, tout ce qu'il peut y avoir de bon dans la vertu et la louange humaines, voilà ce qui doit vous préoccuper. » (Ph 4:8) Et aussi : « Alors la paix de Dieu, qui surpasse toute intelligence, prendra sous sa garde vos coeurs et vos pensées, dans le Christ Jésus. » (Ph 4:7)

Ces citations, tant de la Bible que de la science, ont pour but d'illustrer une chose, à savoir *que le coeur, l'esprit, le siège de l'être, quel que soit le mot que l'on préfère, INFLUENCE ET AFFECTE directement l'homme tout entier.*

On définit le mot humeur comme *un état ou un comportement de l'esprit qui résulte de la passion ou du sentiment.* Remarquez le mot « résulte ». On a cité cette définition uniquement pour rappeler qu'une humeur est le résultat d'un état d'esprit ou d'une passion sous-jacente qui lui donne naissance, un peu comme la source donne naissance au ruisseau qui en sort.

Les déceptions sont inévitables. Ne vous attendez pas à ce que chaque plan que vous faites se réalise sans anicroche. Acceptez vos déceptions. Souriez même quand les choses vont mal et qu'en toute occasion vos paroles soient aimables.

« L'âme et le corps, dit une sommité médicale, sont si étroitement liés qu'ils se contaminent l'un l'autre. » Pour prouver ses dires, il ajoute : « Quatre-vingts pour cent de tous les troubles physiques ont des causes mentales ou en reçoivent un accroissement. Parmi ces causes mentionnons l'inquiétude, l'anxiété, la crainte et la tristesse. » Il va même jusqu'à dire : « Les hommes sont plus malades dans leur esprit que dans leur corps. »

Les causes des humeurs telles qu'énumérées par un médecin sont les suivantes : épuisement nerveux, inquiétude, tristesse, maladie, numération globulaire insatisfaisante, foie en mauvais état, élimination insuffisante, malnutrition, etc. De fait, on ne pourrait cesser de les énumérer mais la question est de savoir s'ils sont les causes des humeurs, ou s'ils sont les manifestations d'une humeur ou de plusieurs humeurs. *Il y a des gens qui ont des humeurs cachées, fatales à la santé et cause de leur malheur.* Il se peut que l'examen microscopique de quelques-uns de ces éléments donne la réponse au médecin.

Épuisement nerveux : Cela pourrait être le résultat du surmenage. Le surmenage est-il une cause ? C'est difficile à dire : Il est plus vraisemblable que ce soit une manifestation d'inefficacité, d'orgueil, de cupidité, de stress ou d'anxiété. « Vivre au-dessus de ses moyens » a fait mourir plus d'une personne trop tôt.

Le remède ? Éliminez de votre travail le côté surmenage. Dans l'exhortation de l'apôtre Paul, il est question à la fois de bon sens et de science : « Lors donc que nous avons nourriture et vêtement, sachons être satisfaits. » (1 Tm 6:8) SATISFAIT. Voilà ! La satisfaction préviendrait davantage les effondrements de santé dus au surmenage que tout autre médication connue. Et la satisfaction est une qualité du coeur. C'est quelque chose de spirituel qui, en conséquence, doit avoir une source spirituelle. *La plupart d'entre nous ont plus besoin de ressentir une satisfaction en profondeur de la vie telle qu'elle est que de comprendre la vie en profondeur.*

Le docteur William Hornaday nous fait la recommandation suivante : « Je suis certain que nous sommes tous conscients de la puissance qui est en nous, cet antidote le plus merveilleux aux humeurs qui consiste à avoir une plus grande foi, une foi permanente. Mettez de la foi dans votre travail. Dans la vie, tout se gagne. L'amour se gagne, la foi se gagne, une position se gagne. Et nous sommes contents, parce que nous avons le pouvoir de le faire. Même une guérison se gagne. Une guérison du corps, une amélioration du milieu de vie, c'est quelque chose qui se gagne et nous nous réjouissons de savoir que cela peut s'accomplir. »

L'INQUIÉTUDE : Voici un point délicat, mais il faut en poursuivre le diagnostic. L'inquiétude est une obsession, une manie, un état hallucinatoire qui est déclenché par l'INCRÉDULITÉ. N'est-il pas arrivé au moins vingt fois à ceux qui lisent ces pages de se voir déjà morts dans un hospice pour indigents ? Étrange, mais vrai : La plupart des choses fâcheuses que la victime de l'inquiétude prévoyait devoir lui arriver ne lui sont pas arrivées. Mais elle continue à chaque tournant de la route de chercher la calamité. Si elle ne la trouve pas, elle est certaine qu'elle est quelque part et s'en va droit à sa recherche. Et cela, en dépit du fait que l'expérience lui a appris ou aurait dû lui apprendre que *l'inquiétude n'a jamais réparé un tort, séché une larme ou allégé un fardeau.*

L'INQUIÉTUDE, C'EST DE L'INCRÉDULITÉ. De l'incrédulité? Y a-t-il une cure à cela? Il y en a une, qu'un passage scientifiquement précis des Écritures nous suggère: «Ne vous inquiétez pas...» (Lc 12:22) «Mais votre Père sait que vous en avez besoin.» (Lc 12:30) Il nourrit les oiseaux, recouvre les champs d'herbe et prend soin des lys. «Gens de peu de foi...» (Mt 8:26) Combien prendra-t-il davantage soin de vous! POUR GUÉRIR L'INQUIÉTUDE, IL FAUT UN COEUR REMPLI DE FOI.

Lowell R. Ditzen écrit: «Pour réussir à se maîtriser, il faut accepter ses HUMEURS changeantes et essayer de prévenir de violents changements d'attitude. La fatigue physique ou les déficiences psychologiques peuvent en être la cause. Elles peuvent être produites par le surmenage, trop de pression sur les ressources mentales et nerveuses. Quand les nuages de la dépression commencent à s'accumuler, il faut faire quelque chose de constructif pour les dissiper. L'esprit qui peut contempler la bonté sera préparé à de telles urgences et se ménage des soupapes de sécurité pour l'occasion.»

La TRISTESSE: Des peines à n'en plus finir sont souvent un apitoiement sur soi qui nous absorbe complètement. Celui qui s'apitoie sur lui-même s'assied, broie du noir, ne s'arrête jamais à penser que toute son attitude est défaitiste, insulte Dieu et mine sa santé. ÊTRE MALHEUREUX, C'EST UNE MALADIE ET ON SE REND SOI-MÊME MALADE.

Point n'est besoin de poursuivre ce diagnostic. Les symptômes dont on a parlé au début concourent tous à nous indiquer qu'il s'agit là d'un coeur totalement ou partiellement en désaccord avec l'Infini. *L'unique raison d'être de toute connaissance, comme l'a indiqué Platon, c'est de permettre à l'homme de découvrir sa propre nature divine.*

Finalement, il résulte de tout cela que la cause des humeurs destructrices est d'abord mentale et non physique. Ceci étant dit, nous sommes en mesure de prescrire un remède : un changement spirituel au plus profond de l'être. Un tel changement spirituel se réalise de la manière que l'indique saint Paul : «... Que le renouvellement de votre jugement vous transforme...» (Rm 12:2) et un tel changement tiendra la foi ancrée dans les eaux profondes d'une confiance durable.

Nombreuses seront vos récompenses : une santé meilleure, un rendement physique et mental supérieur, un état d'esprit plus heureux. *Tout homme devrait constamment chercher les bons moyens de vivre qui sont encore à sa portée, rechercher un mode de vie plus sain et qui rend plus heureux, chercher à réaliser un meilleur environnement pour le corps aussi bien que pour l'âme.*

En aidant les autres, nous nous aiderons nous-mêmes, car tout état d'esprit que nous manifestons aux autres fait son chemin et nous revient. Il n'y a aucune excuse pour toute personne intelligente d'être à la merci de ses HUMEURS. Un homme doit toujours être capable de se prendre en main. La dépression mentale est un poison qui s'accumule. Donnez lui un centimètre, il en prendra dix. Si on lui permet de prendre racine, il se développe comme un cancer, infectant toute la vie mentale et répandant partout ses métastases de malheur. Si les autres nous critiquent, souvent ces critiques provoquent des HUMEURS dépressives.

Nous devrions essayer de vivre de telle sorte que personne ne pourrait à bon droit nous condamner. Quand viendra la critique, accueillez-la comme un élément constructif. Comme la maladie, on peut prévenir le malheur sous tous ses aspects. La nature a donné à tous une chance égale de bonheur à condition que nous sachions comment nous en servir.

Des hommes de science à la fine pointe du progrès et des médecins du monde entier reconnaissent l'énorme rôle joué par des pensées saines pour guérir plusieurs maladies et transformer le caractère moral... comment le climat du foyer peut être changé et comment l'attitude d'un homme dans ses relations d'affaires peut être altérée à un point tel que son entreprise s'améliore constamment et que la prospérité lui sourit. Les pensées ont un rôle à jouer dans tous les secteurs de ma vie et de la vôtre. Nos pensées changent nos destinées. Pour être heureux, il nous faut apprendre à maîtriser nos pensées, car l'homme est le reflet de ses pensées. Nous forgeons notre humeur quotidienne par nos attitudes et nos pensées.

Nous devons apprendre qu'il est normal pour nos amis et nos proches d'être affectés par des comportements et qu'il nous faut les aimer ou les chérir pour ce qu'ils sont en dépit de tout ce qui nous déplaît dans le moment. Malheureusement, quand ils sont d'humeur maussade, nous devenons souvent exaspérés avec ceux qui représentent le plus dans notre vie, mais nous devrions savoir que la morosité est naturelle et que nous y sommes tous plus ou moins enclins.

La gaieté

En cette époque d'instabilité, il est d'une importance VITALE de faire croître en nous toutes nos possibilités de bien et toutes nos aptitudes naturelles. *Prenez l'habitude d'avoir une conversation agréable, débordante de gaieté.* Chaque jour, il vous faut rire : C'est le meilleur gage de santé et c'est aussi salutaire pour l'esprit que pour le corps.

La gaieté donne un pouvoir créateur que le pessimiste n'aura jamais. Servez-vous de cet étrange pouvoir que possède un esprit gai et rieur. *Être gai est comme un baume sur la journée et rend moins pénibles les aspérités de la vie.* Recherchez toujours le BIEN chez l'autre et rappelez-vous que personne n'est parfait.

Faites la somme des bienfaits reçus, soyez-en reconnaissant et gardez bon espoir. Être heureux, c'est votre affaire et personne d'autre ne peut l'être à votre place. LA PLUS GRANDE RESPONSABILITÉ DONT L'HOMME EST CHARGÉ EST CELLE DE SON PROPRE DÉVELOPPEMENT. Nous devons développer nos qualités intérieures car c'est là que réside notre vraie richesse. La gaieté est une satisfaction qui remplit l'âme, c'est un état de joie.

Soyez actif. La gaieté aime l'activité et les philosophes sont d'accord pour dire qu'elle doit inclure quelque forme d'activité valable. La vie exige du travail, mais le bonheur requiert un rêve, de la planification, des aspirations, des actes et un empressement à passer d'une réalisation à une autre toujours plus grande.

La GAIETÉ est un tonique moral puissant. *Comme le soleil fait éclore les fleurs et mûrir les fruits, ainsi la gaieté permet de se sentir libre dans la vie ; elle fait croître en nous tous les germes de bien et tout ce qu'il y a de meilleur.*

Je croîtrai en grâce et en force jusqu'à ce que je puisse toujours...

1. SOURIRE dans les difficultés et faire preuve de bonté.
2. VIVRE de sorte que ma conscience approuve toujours ma conduite.
3. MAINTENIR une force croissante au milieu des angoisses et ne permettre à rien de déranger la paix de mon esprit.
4. DEVENIR courageux en réfléchissant aux causes des échecs passés et faire face à mes problèmes.
5. JETER UN REGARD sur l'avenir, évaluer ce qui doit arriver et comment je peux y participer avec avantage.
6. GARDER mon cœur ferme dans toutes les choses essentielles qui façonnent un caractère chrétien.
7. FAIRE AUX AUTRES ce que j'aimerais qu'ils me fassent.
8. ÉCOUTER. Je ne peux apprendre si ma bouche fait trop de bruit.
9. M'HABITUER à attendre. Un esprit qui a l'habitude d'attendre attire ce qu'il espère. M'ATTENDRE À UN MIRACLE !
10. TRAVAILLER, parce que le travail bien fait est un investissement dans le plan éternel du Seigneur.

11. CROIRE en Dieu et aimer Celui qui m'a tant aimé.
12. ÊTRE FIDÈLE aux principes et faire de mon mieux chaque jour.

Foi ou frénésie

Trop des nôtres manifestent durant leurs journées un empressement qui frise la frénésie, brûlant leur vie au lieu de la vivre. Nous sommes de vraies machines, victimes de notre ère survoltée. Nos nerfs malmenés sont plus responsables de nos malheurs que tout autre cause.

Les précipitations de la vie moderne, c'est du gaspillage au sens le plus vrai et le plus profond du mot. *Nous sommes tellement affairés à atteindre ce qui est loin de nous que nous passons à côté des valeurs éternelles qui sont presque à portée de la main.* Dans notre hâte et notre agitation, nous avons oublié comment marcher en présence de Dieu et Lui parler.

Nous avons oublié que croissance et solitude vont de pair. LE CHEMIN QUI MÈNE AU DÉVELOPPEMENT N'EST PAS PAVÉ DE ROSES. La précipitation est l'ennemie de la croissance. C'est de façon invisible que le majestueux chêne devient un arbre robuste. Une solitude de quarante ans au désert a fait Moïse. C'est après trois ans dans le désert d'Arabie que la vision de Paul a pris tout son sens. Le Christ a passé trente ans de sa vie à se préparer à trois ans de ministère.

Un esprit sain ne doit pas habiter dans un corps paresseux. Le professeur Beecher disait aux étudiants de Yale : « Ce qui est d'abord requis, c'est de prendre son temps. » Thomas Jefferson a dit : « La plupart des gens passent leur temps à des bagatelles, d'autres courent toujours et n'arrivent jamais nulle part. »

HEUREUX L'HOMME QUI A APPRIS À SUBSTITUER LA FOI À LA FRÉNÉSIE ET LE REPOS À LA PRÉCIPITATION.

L'inactivité bénéfique

Être sans hâte, libéré des vives ambitions et des petites jalousies est plus qu'un sain état d'esprit... C'est posi tivement un état d'esprit béni.

La plupart d'entre nous ont plus besoin d'éprouver un profond contentement de la vie telle qu'elle est que d'une plus profonde compréhension de celle-ci.

Nous avons tellement été pris par les nécessités de la vie que nous avons oublié comment vivre.

Ce dont la plupart d'entre nous avons besoin, c'est d'avoir quelque temps libre de toute anxiété...

Le temps d'observer un couple d'oiseaux apportant des mouches et des vers à une nichée pleine de petits.

Le temps de regarder un écureuil faire des cabrioles de branche en branche, de bûche en bûche, semblant n'avoir rien d'autre en tête que de s'ébattre.

Le temps de voir un faucon exécuter de grands cercles, les ailes déployées, comme s'il pratiquait quelque exercice gracieux.

Le temps de s'étendre sur l'herbe ou sur un lit de feuilles mortes dans un coin ensoleillé et de regarder les nuages partir pour de mystérieux voyages vers des lieux éloignés dans une immense étendue de ciel bleu.

Le temps de se contenter, de ne penser à rien, de ne rêver à rien jusqu'à ce que notre coeur et notre esprit deviennent si tranquilles que Dieu puisse nous parler encore une fois des choses qui ont une réelle importance.

La poursuite de l'impossible

Il y a un vieux refrain que je fredonnais dans ma jeunesse et qui avait pour titre « Je poursuis toujours les arcs-en-ciel ». Aujourd'hui, je crois qu'il y a beaucoup plus de gens qui poursuivent l'impossible. Très peu sont SATISFAITS.

Dans notre poursuite frénétique de l'impossible, nous gagnons notre pain à la sueur de notre front pour survivre, nous élevons des enfants, nous nous regroupons pour assurer notre protection. Tout dans la vie a un prix, par exemple, le succès, l'éducation, l'amour, l'amitié, le gain matériel, la renommée, le pouvoir, l'esprit détendu, la santé. Il faut payer tout ce qui vaut la peine d'être obtenu. Nous faisons des économics pour le jour où nous pourrons nous asseoir au soleil et rêver. Et cependant, un appétit qui ne nous laisse pas de repos nous presse constamment à avoir davantage. Nous gagnons des diplômes pour faire plus d'argent. Nous essayons des formules nouvelles de faire l'amour, nous expérimentons des liqueurs exotiques, des drogues et leurs effets hallucinogènes, des repas de fins gourmets. Toujours nous sentons cette poussée à avoir davantage. Jamais assez! Jamais satisfaits!

Dans notre constante poursuite de bonheur et de réalisation personnelle, nous recherchons presque tous des plaisirs mondains comme de s'assurer une sécurité suffisante, se procurer des jouissances sexuelles plus nombreuses et des plaisirs qui flattent les sens, être plus fort, avoir du prestige, atteindre un niveau social élevé. *On doit rechercher la véritable joie de la vie dans l'effort de chaque jour pour atteindre de nobles fins, dans la communion quotidienne avec les êtres chers, dans le contact assidu avec les amis, dans les actes quotidiens au service de Dieu et des hommes, dans les luttes pour surmonter les obstacles et dans la victoire de chaque jour sur nos tendances intérieures.*

La vraie richesse, c'est la JOIE et la SATISFACTION du coeur ajoutées à la satisfaction d'être utile en servant Dieu et les hommes. C'EST LÀ QU'EST L'ELDORADO.

Dix conseils
pour illuminer votre vie

1. Commencez la journée dans le calme et la gaieté. Dites : « Ce sera une belle journée. Dès maintenant, je vais être calme et joyeux. »
2. Essayez de sourire aux autres ; faites comme si vos sous-vêtements vous chatouillaient ! Un sourire, c'est contagieux et vous vous sentirez mieux quand les autres vous souriront.
3. Calculez les bienfaits reçus ; faites-en une liste détaillée. Vous êtes-vous rendu compte de la vraie richesse que vous possédez ?
4. Prenez plaisir aujourd'hui à vous délecter de belles pensées, de souvenirs agréables. Ne vivez votre vie qu'un jour à la fois.
5. Partez à l'aventure. Essayez de faire une randonnée pour rencontrer de nouveaux voisins, voir de nouveaux édifices, de nouveaux parcs, de nouveaux panoramas.
6. Appelez votre ami au téléphone ou écrivez-lui. Dites-lui que vous pensez à lui, que vous l'encouragez. L'encouragement, c'est une bouffée d'oxygène pour l'âme.
7. Soyez une personne joyeuse... Voyez les beaux côtés de la vie... Évitez la mélancolie. Être joyeux et aimable est un gage de meilleure santé pour demain.

8. Faites une bonne action ; faites cadeau d'un livre ou de quelque chose de bénéfique à un être cher.
9. Donnez de votre personne. Offrez vos services à un hôpital, à une église, aidez les gens. Si vous donnez, vous serez récompensé au centuple.
10. Faites de votre mieux chaque jour ; vous ne vivez vraiment que lorsque vous êtes utile et positif.

Aujourd'hui

C'est le début d'un jour nouveau rempli de fraîcheur et je l'accueille dans l'ESPÉRANCE.

Aujourd'hui ne vient qu'une fois et ne reviendra jamais. Il me faut manifester de l'AMOUR et de la BONTÉ.

Dieu m'a donné ces vingt-quatre heures pour les utiliser comme je veux ; j'aurai une ATTITUDE joyeuse.

Le jour présent est une grande aventure qui, bien vécue, fait de chaque hier un souvenir de bonheur et de chaque lendemain une vision d'espérance.

Il me faut faire de ce jour quelque chose de BIEN et ne pas le gaspiller.

Voici mon jour de chance et de devoir : J'en attends quelque chose de BIEN parce que j'aiderai à sa réalisation.

Aujourd'hui, c'est un JOUR NOUVEAU dans ma VIE, c'est un nouveau bout de chemin à parcourir. Je dois demander à Dieu de m'orienter.

Aujourd'hui, je serai courageux et confiant ; je ferai voir que JE CROIS en Dieu.

Ce que je fais aujourd'hui est très important parce qu'en échange, je donnerai une journée de MA VIE.

Le COÛT d'une chose, c'est la parcelle de MA VIE que je dépense pour l'obtenir.

Quand viendra demain, le jour présent sera à jamais disparu, laissant à sa place quelque chose que j'ai échangé pour lui.

Pour ne pas oublier le prix que j'en ai payé, je dois faire de mon mieux pour qu'il soit UTILE, PROFITABLE et JOYEUX.

L'appréciation

L'avarice n'est pas seulement une affaire d'argent. Donc...

Ne soyons pas avares de notre appréciation quand elle est vraiment due !

Soit par des mots de louange quand il faut des louanges.

Soit par des paroles d'encouragement quand un ami essaie et échoue.

Soit par des félicitations devant un ouvrage bien fait.

Soit en manifestant de la compréhension et de la sympathie à quelqu'un qui a de la peine.

Soit en rendant service même si cela exige un sacrifice.

Soit par des actes d'amour et de bonté envers ceux qui travaillent dur et que les fardeaux finissent par accabler sur la route orageuse de la vie.

Chacun aime qu'on lui dise qu'on l'admire, qu'on le respecte, qu'on l'apprécie et qu'on l'aime. « Je vous aime parce que... » Soyez prêt à en donner les raisons spécifiques.

Désirer ardemment être apprécié, voilà un principe fondamental de la nature humaine. *Si vous n'avez qu'un mot d'encouragement, dites-le pendant que l'autre peut encore l'entendre!*

«Ne refuse pas un bienfait à qui y a droit quand il est en ton pouvoir de le faire.» (Pr 3:27) C'est après qu'elles ont été perdues qu'on apprécie le plus les meilleures choses de la vie.

On n'est conscient de la visite des anges qu'après leur départ.

Les choses
qui me rendent heureux

Je suis heureux de chaque sacrifice que j'ai fait et qui a apporté du bonheur aux autres et rendu leur vie plus supportable.

Je suis heureux d'avoir recherché la VÉRITÉ à toute heure du jour. La VÉRITÉ, c'est tout ce que j'aurai quand le soleil se couchera sur mon dernier jour.

Je suis heureux des durs sentiers de la vie que j'ai parcourus. Ils m'ont permis de mieux apprécier les endroits de calme et les panoramas splendides.

Je suis heureux de ces pénibles leçons que j'ai apprises sous la férule de la souffrance. Elles m'aident maintenant à cesser mes emportements contre le temps et le sort et à me reposer en toute confiance sur le roc de la foi.

Je suis heureux que le monde des affaires m'ait appris de façon concrète à faire de mon mieux, à ne pas paniquer devant les mésententes. La vérité se révèle toujours à qui sait attendre.

Je suis heureux d'avoir appris à rire, même face aux revers. Savoir faire rire dans les situations tendues, c'est de gagner la bataille, car le rire calme les esprits échauffés et détend les nerfs irrités.

Je suis heureux des jours passés dans la nature, au coeur des forêts majestueuses. J'y ai entendu, vu et goûté le Seigneur plus qu'en aucun autre endroit sur terre.

Je suis heureux d'avoir été capable, avec la grâce de Dieu, de rendre quelque service pour que quelques-uns, à la fin du jour, puissent avoir une certaine considération pour moi et dire : « Il m'a aidé. »

La vraie richesse

Une bonne santé
Un peu de sens commun
Un sens de Dieu
Une attitude aimable et confiante
Un peu d'amour
Un peu de bonne humeur
Un peu d'argent

Et vous serez surpris du confort et de la satisfaction qui pourront être vôtres dans un monde ou presque tous cherchent à atteindre la lune.

Rien ne sert de pénétrer les mystères de l'univers si nous ne pouvons pénétrer le mystère de l'homme.

Nous vivons à une époque où un grand nombre de gens consacrent du temps au corps de l'homme alors que son âme est en péril. On a tendance aujourd'hui à ignorer la nature intime de l'homme et son bien-être éternel, comme s'il n'était pas doté d'un esprit, d'un coeur et d'une âme. « Comme la fleur s'incline vers le soleil, ainsi l'âme vers Dieu », écrit William Temple.

CHAQUE JOUR, VOUS FAITES VOTRE PROPRE CHÈQUE DE PAIE.

ALFRED ARMAND MONTAPERT
Distilled Wisdom

Les bonnes paroles rendent heureux

LA PAROLE EST LA PLUS PUISSANTE FORCE DE L'UNIVERS. Elle est source de bien ou de mal. La langue produit aussi bien la vie que la mort. CELUI QUI DIT «JE PEUX» ET CELUI QUI DIT «JE NE PEUX PAS» ONT TOUS DEUX RAISON. Aujourd'hui, beaucoup de gens sont devenus captifs de leurs propres paroles. Nous pouvons nous servir de notre langue pour prononcer les paroles qui nous détruiront ou nous rendront malades, ou qui FERONT DE NOUS DES GENS HEUREUX!

Pour être heureux, il faut se montrer sobre en paroles, c'est-à-dire contrôler sa langue. La langue est un petit membre éminemment important qui peut profaner tout le corps. C'est un membre rebelle, méchant, plein de poison mortel. Vos paroles perfides contribuent à votre perte, tout comme le trou dans la coque du bateau le fera couler. On lit dans Job 6:24 et 25 : « Instruisez-moi, alors je me tairai... On supporte sans peine des discours équitables... » AUJOURD'HUI, EN CE MOMENT MÊME, VOTRE PERSONNALITÉ REFLÈTE LE BAGAGE DE PAROLES QUE VOTRE BOUCHE PRONONCE.

La Parole de Dieu qui a germé dans votre coeur, que votre langue a exprimée et que votre bouche a prononcée, devient une force spirituelle qui libère la grâce de Dieu en vous. Voilà ce que dit la Parole de Dieu dans Marc 11:24 : « Tout ce que vous demandez en priant, croyez que vous l'avez déjà reçu et cela vous sera accordé. » Dans sa lettre aux Philippiens (4:13), Paul nous rappelle : « Je puis tout en Celui qui me rend fort. » VOILÀ DES PAROLES D'UNE GRANDE INFLUENCE MORALE.

Nous parlerons des MOTS eux-mêmes plutôt que des pensées, car la plupart des mots sont vides de sens ou presque. C'est dans une espèce de routine qu'on prononce des mots, les uns bons, les autres mauvais.

Beaucoup de gens échouent dans la vie parce qu'ils ne disent pas les paroles qu'ils devraient dire. Les paroles négatives, qui sont celles de l'ennemi, leur font encourir leur perte. « Tu es pris aux paroles de ta bouche. » (Pr 6:2) Il nous faut être extrêmement prudents avec nos paroles car elles renferment un POUVOIR REDOUTABLE TANT POUR LE BIEN QUE POUR LE MAL.

Aimeriez-vous voir se réaliser toutes les paroles négatives que vous avez dites ? Vous préparez-vous à faire face aux bonnes choses ou aux mauvaises ? Tout ce que vous dites peut arriver exactement comme vous le dites. Choisissez votre vocabulaire avec soin. Quelqu'un demandait à Albert Schweitzer ce qu'il pensait être la plus grande erreur de l'humanité. Il répondit : « Les hommes ne pensent pas. » Les paroles que vous énoncez vous programment pour le SUCCÈS ou la DÉFAITE.

Les paroles sont comme des SOURCES D'OÙ JAIL-LISSENT le bien et le mal. Elles VÉHICULENT LA FOI OU LA CRAINTE et leurs produits sont un reflet de ce qu'elles sont. La puissance créatrice de Dieu est donnée à l'homme sous forme de parole. VOTRE FORCE CRÉATRICE RÉSIDE DANS VOTRE PAROLE. Vous pouvez vous créer une vie meilleure par vos bonnes paroles pleines d'amabilité. Tout ce que Dieu a créé, il l'a d'abord fait en paroles : « Que la lumière soit. » (Gn 1:3), etc.

FAITES ATTENTION À CE QUE VOUS DITES. Les paroles que vous prononcez énoncent ce qui arrivera dans votre vie. Vous avez le droit de choisir votre propre destinée et ce droit, c'est Dieu qui vous l'a donné. C'est l'esprit qui dirige le corps et nous donne des résultats, non en nous appuyant sur l'expérience, mais sur la CONFIANCE que nous avons. L'esprit est comme le sol : Il fera germer ce que vous y plantez, maïs ou herbe empoisonnée, le bien ou le mal. Le pouvoir créateur de Dieu a été donné à l'homme sous forme de PAROLE. C'est le coeur qui vous donne votre pouvoir créateur, c'est votre langue qui l'exprime et le libère de la bouche sous forme de parole.

Face à la défaite apparente, parlez de victoire. Devant la pénurie apparente, parlez d'abondance. Que vous parliez bien ou mal, c'est toujours une loi.

Tout cet univers est envahi et contrôlé par des forces invisibles qu'on appelle les lois naturelles. Si vous voulez en connaître davantage sur les lois naturelles, lisez mon livre traitant des 47 lois de la vie et qui s'intitule *Comment réussir sa vie**.

La loi de la cause et de l'effet, de l'action et de la réaction, agit sur les plans physique, mental et spirituel. En conséquence, c'est avec soin qu'il faut choisir vos paroles car elles auront des répercussions sur vous en bien ou en mal. Les lois naturelles, ou forces invisibles, sont des lois divines et elles sont immuables et inchangeables. *Vous ne pouvez pas les briser, vous vous brisez vous-même sur elles.*

La loi spirituelle est basée sur le même principe fondamental que celui des récoltes. Les paroles que vous prononcez sont des semences qui produisent selon leur espèce. Si vous semez des patates, vous récolterez des patates et non du maïs; si vous prononcez des paroles négatives, vous récolterez une moisson négative.

La langue est capable de vous rendre heureux et de vous faire réussir dans la vie. C'est la même bouche qui prononce des bénédictions ou des malédictions. ATTENTION À VOS PAROLES !

Il est beaucoup plus facile de blâmer que de produire quelque chose de meilleur que ce qui fait l'objet de notre blâme.

Dans le film *South Pacific,* il y avait une chanson intitulée « Happy talk ». Les gens qui ont le bonheur de tenir des propos joyeux vivent vraiment plus longtemps que les gens qui ne rient pas. Peu de gens se rendent

---

* Paru aux éditions Un monde différent ltée.

compte que la santé varie vraiment selon qu'ils rient beaucoup ou non.

Vous ne pouvez pas cacher les trésors de votre coeur, car ils se révèlent dans vos paroles. LES PAROLES CONÇUES DANS LE COEUR, ARTICULÉES PAR LA LANGUE ET ÉMISES PAR LA BOUCHE SONT DES PUISSANCES DE CRÉATIVITÉ.

Que de fois un mot peu charitable, échappé par hasard, peut gâter une journée, bousiller un travail d'importance, empêcher de conclure un marché, blesser un être cher, faire perdre un ami. C'est par ignorance, irréflexion ou manque de jugement que plusieurs parmi nous blessent les êtres les plus chers ou ceux que nous désirons aider. *Si votre coeur a trouvé le bonheur, ne permettez pas à votre langue de le lui faire perdre.*

« Agrée les paroles de ma bouche et le murmure de mon coeur. » (Ps 19:15)

VOUS !

Le milieu que VOUS créez par
VOS PENSÉES, VOS CROYANCES,
VOS IDÉAUX et VOTRE PHILOSOPHIE
EST L'UNIQUE CLIMAT DANS LEQUEL VOUS
VIVREZ TOUJOURS.

ALFRED ARMAND MONTAPERT
Distilled Wisdom

Le bonheur, ce sont des vacances

À l'occasion, un changement complet de décor et des endroits nouveaux sont très bénéfiques autant pour notre bien-être général que pour notre travail. C'est là l'aventure des vacances et nombreux sont les bienfaits qu'elles procurent.

Les vacances nous donnent une chance d'examiner à fond notre mécanisme physique et de faire les réparations qui s'imposent. Pour tirer le plus de profit possible de vos vacances, prévoyez dans votre programme des instants fixes de repos chaque jour où ce sera la détente absolue. Oubliez tout, relaxez.

Il faut éviter les réunions de plaisir, les heures tardives, la boustifaille, les voyages épuisants, les soucis. Rappelez-vous que pour récupérer, il faut d'abord se reposer, relaxer et surtout dormir. Relaxer, ne faire aucun effort, devrait être votre objectif.

Même si la nourriture est exquise, ne faites pas d'excès de table. La modération est la règle d'or de la santé. Mangez beaucoup de fruits frais, de légumes, buvez beaucoup d'eau, faites des exercices modérés et observez les règles de la santé.

Une bonne attitude mentale fera beaucoup pour rendre vos vacances bénéfiques et joyeuses. La gaieté, la gratitude, l'optimisme influencent et affermissent la santé. Les pensées positives que vous irradiez vous reviendront au centuple.

Quatre-vingt-dix-neuf pour cent de ce que nous faisons, nous le faisons par habitude. Se soustraire au train-train quotidien nous fouette comme une dose d'adrénaline. Cela nous fait réellement revivre. Outre les vacances annuelles statutaires, faire une série de courtes randonnées, c'est se prescrire de la santé et du bien-être.

Où et quand vous sentez-vous le plus heureux? Les heures que j'ai passées dans la forêt, tout près de la nature, sont parmi celles les plus heureuses de ma vie. Nous aimons les montagnes au printemps et à l'automne car nous y écoutons le chant des oiseaux, nous respirons l'air pur et frais, nous observons les cabrioles des écureuils aux pieds des pins majestueux. Durant la saison estivale, nous aimons le bord de la mer, nous aimons marcher pieds nus sur des kilomètres de grève. Et durant l'hiver, nous visitons le désert.

D'importance capitale, les vacances sont un bris de routine, un changement, un repos, une variété, un temps de relaxation, de détente, de relâche. Des idées neuves surgissent alors à l'esprit. Il y a des gens qui omettent de prendre des vacances parce qu'elles occasionnent un bris de routine. Mais c'est là exactement la raison la plus importante pour en prendre. Pour empêcher ce qui est en nous de se gâter, nous avons besoin de temps en temps d'un regard nouveau et frais. De temps à autre, briser la routine est essentiel pour progresser.

Voir, comparer, juger, évaluer, analyser, choisir, autant de moyens qu'ont les hommes pour marcher de pair avec leur époque. Si le changement qu'entraînent les vacances bouleverse quelqu'un pour un temps, il faut se rappeler que c'est la meilleure chose qui puisse lui arriver. Une fois mise de côté la routine de tous les jours, on est plus en mesure de voir les choses en toute objectivité et d'y apporter une vision équilibrée, impartiale, qui colle à la réalité. Les soucis et les troubles ne semblent pas aussi considérables. On a discerné les pièges possibles, les chances d'amélioration, et les avantages qu'on ne voyait pas auparavant sautent maintenant aux yeux. Après des vacances, le monde nous apparaît meilleur et plus vaste.

Un point de vue plus réaliste, un rendement supérieur sur le plan de la pensée ne sont pas les moindres des bienfaits qu'on retire des vacances. Un sage médecin faisait remarquer un jour à un cadre supérieur que son pire défaut était cette carence de moments libres pour examiner ses problèmes dans le calme. *Pour qu'un homme puisse faire le meilleur travail dont il est capable, il doit de temps en temps s'arrêter de travailler pour penser.* L'homme qui travaille continuellement à un rythme qui le surexcite violemment n'obtient pas, peu s'en faut, les résultats de celui qui s'arrête de temps à autre pour réfléchir.

Un peu fatigué de tout ? Vous voyez moins bien où vous allez ? Eh bien ! Ayez assez d'audace pour prendre la route qui mène à la solitude. Plantez votre tente au plus profond d'une vallée ombragée où il fait presque toujours sombre le jour et où les étoiles brillent le soir au-dessus des pins. Restez-y jusqu'à ce que du sein de ces ombres vienne ce calme mystérieux qui vous donnera des yeux pour voir et des oreilles pour entendre. Pour la première fois depuis des années, vous découvrirez que Dieu habite sa création et, comme sa création, Il S'approche de ceux qui s'approchent de Lui.

Le voyage fournit un changement de climat et de décor qui est souvent plus nécessaire pour guérir certains maux que les médicaments. Si on considère le voyage comme le plus enrichissant de tous les plaisirs, on peut aussi l'envisager comme un bon placement.

PRÉPAREZ VOS VACANCES POUR EN FAIRE LES MEILLEURES QUE VOUS N'AYEZ JAMAIS PASSÉES. Améliorer votre santé en est l'objectif prioritaire. Mettez par écrit quelques notes de ce que vous ferez pour vous bâtir des réserves de santé robuste afin de revenir à votre boulot quotidien plein d'inspiration, d'entrain, rafraîchi mentalement et physiquement. *Une bonne santé n'a pas de prix ; il faut l'acquérir et la maintenir.*

Rester jeune
grâce à un esprit alerte

Vous resterez jeune plus longtemps si vous gardez votre esprit alerte. L'homme a trois dimensions qui lui viennent de Dieu : physique, mentale et spirituelle. Que vous ayez vingt ans ou soixante-dix ans, il vous faut constamment veiller à chacune des trois.

La nature nous dicte d'UTILISER OU DE JETER.

Vous pouvez être tout aussi productif mentalement à quatre-vingts ans que vous l'étiez à vingt ans, à condition de garder votre esprit alerte et de n'avoir point eu de maladies qui affectent vos facultés mentales.

Si vous ne faites pas d'exercices physiques, vos muscles se relâchent ; il en va de même de vos facultés mentales. Faites faire de l'exercice à votre esprit et vous vous garderez en excellente condition mentale. Gardez votre esprit alerte, jeune, joyeux ! Le bonheur, c'est la plénitude de la personnalité. Nourrissez votre esprit de pensées saines et bonnes, lisez des livres sérieux et vous constaterez que l'intelligence s'accroît vraiment en vieillissant.

Rappelez-vous que l'esprit contrôle le corps et qu'une attitude forte et déterminée peut modifier une maladie physique.

LA RECHERCHE CONTINUE DU SUCCÈS ET DE LA RENOMMÉE peut dévorer toute votre vie jusqu'à la dernière miette. Vous en venez aussi à croire que vous êtes plus important que vous ne l'êtes réellement. Très peu de gens meurent de mort naturelle. Leur style de vie les tue. La modération est un art qui a disparu.

Le bonheur réduit le stress

La vie est remplie de contrariétés. Notre tension artérielle monte et la première chose que nous savons est que
nous sommes tellement stressés que notre joie de vivre
est en jeu. LE STRESS EST UNE RÉPONSE DU
CORPS À CERTAINES EXIGENCES QUI LUI SONT
IMPOSÉES.

LE STRESS EST DANGEREUX. Il déclenche le
fonctionnement de certaines glandes dans le corps qui
créent de l'hypertension, développent un cholestérol dont
la surabondance n'est pas naturelle. Et c'est le début de
la détérioration de votre corps. Les relations entre le mécanisme du stress et les troubles cardio-vasculaires sont
bien connues.

Pour vivre longtemps et profiter de la vie, il nous faut
développer cette force invisible qu'est l'ATTITUDE AP-
PROPRIÉE. Apprenez à envisager la vie sous l'angle de
la DÉTENTE plutôt que sous celui de la TENSION.

La seule chose absolument prévisible dans la vie,
c'est le changement continu des circonstances. Ce qu'on
ne sait pas, c'est À QUEL MOMENT elles vont changer.
Faites tout en votre pouvoir pour goûter aux joies de la
vie, mais soyez souple dans vos prévisions. Les circons-

tances changent vraiment et vous êtes souvent pris par surprise. C'est un monde en rapide évolution que le nôtre ; apprenez à être prêt à toute éventualité.

Le stress s'est avéré un tueur aux yeux de la science. On vit à l'âge de l'anxiété. Et comme il nous faut faire face à de plus en plus de situations stressantes, des Américains encore jeunes et en nombre croissant souffrent de tension artérielle élevée, sont victimes d'attaques cardiaques et d'apoplexie. Par ailleurs, nous devons tous apprendre à vivre avec les tensions et les bouleversements émotionnels causés par les pressions de la vie quotidienne. Y a-t-il quelque chose que nous puissions faire pour diminuer ces tensions et prévenir les maladies ?

Oui : La méditation et la prière peuvent aider tout le monde. *Aujourd'hui, le monde a un très grand besoin de développer sa dimension spirituelle. Elle peut vous apporter le calme et la paix intérieurs.* Cela s'apprend facilement et n'a aucun effet secondaire. Que pourrions-nous demander de plus à une méthode de traitement salutaire pour la santé ?

Votre Créateur avait un but en vous créant. Agissez en conformité avec la nature : LE BUT ULTIME DE LA VIE EST D'ÊTRE VOUS-MÊME et de développer votre nature spirituelle. C'est un défi quotidien de FAIRE de votre mieux ; SOYEZ à votre meilleur et vous RÉCOLTEREZ ce qu'il y a de mieux. DIFFICULTÉS, PROBLÈMES, DÉFIS *sont les noms que l'on donne aux choses qu'il nous faut surmonter.* Notre corps a une certaine quantité de forces vitales, dépendant du soin que nous en prenons. Vous pouvez les dépenser à la légère ou en prendre soin sagement et vivre plus longtemps.

Le stress disparaîtra comme de la glace sous les rayons du soleil de juin si vous RELAXEZ, si vous êtes naturel, si vous développez votre dimension spirituelle, car c'est là que vous trouverez la vraie paix de l'esprit. Mettez votre confiance en Dieu, le Pouvoir suprême. Toute personne intelligente croit au Pouvoir suprême.

La pratique assidue de la méditation est un moyen de diminuer la tension artérielle. Tout ce qui diminue la tension artérielle sans effets secondaires indus est bénéfique. Maintenir la tension artérielle à un bon niveau diminue les risques de l'artériosclérose et de ses séquelles, comme les attaques cardiaques et les congestions cérébrales.

Quand nous sommes heureux, la tension artérielle est à son minimum. Il faut faire face avec courage à ces tensions et à ce stress pour développer nos muscles mentaux et spirituels. Vous êtes le maître de votre vie. Avoir confiance dans le Pouvoir suprême, l'Auteur de nos jours, fera naître de l'ESPÉRANCE et l'espérance est l'un des plus puissants stimulants auxquels le corps puisse être soumis.

Ne vous prenez pas trop au sérieux, soyez plus enjoué et moins sérieux ; apprenez à rire de vous même dans presque toutes les situations et vous deviendrez une bien meilleure personne.

Le docteur Hans Selye, expert mondialement reconnu dans la discipline du stress, dit : « Un moteur ne cesse pas soudainement de fonctionner à cause de son vieil âge. Il s'arrête à cause de l'usure de l'une de ses parties. C'est la même chose avec les gens. Sous l'effet d'un stress continu, tant physique que mental, il y a des parties vitales du corps qui se brisent et déclenchent toutes sortes de maladies, voire la mort. » Quand on lui demandait quels étaient les tensions les plus dommageables, le docteur Selye répondait : « L'anxiété, les soucis, la frustration et spécialement la haine et la jalousie. La plupart des gens sont leurs propres ennemis ; sans s'en rendre compte, ils sont sur le chemin de l'auto-destruction. »

LES LOIS NATURELLES

Chacun est libre de choisir...
Libre d'obéir ou de désobéir
AUX LOIS NATURELLES.
DE VOTRE CHOIX dépendent les conséquences.

ALFRED ARMAND MONTAPERT
Comment réussir sa vie

L'heureux monde de Dieu

LE MONDE QUE J'AIME, C'EST...

Le monde que Dieu a façonné en montagnes et en plaines.
Le monde qu'Il a découpé en profonds canyons pour les rivières, le monde où Il a uni les montagnes en chaînes.
Le monde où Il peint avec soin chaque scène à l'aide de sa palette et de ses pinceaux.
Les montagnes pourpres avec leurs traînées de jaune et de vert.
Les prairies, les vallées, les pâturages qui brillent d'un éclat immortel.
Mon palais sorti des mains de Dieu Lui-même : Il en a fait les fondations, Il en a recouvert le toit et l'a paré de fleurs rares et fraîches.

JE DÉTESTE LE MONDE QUE LES HOMMES ONT FAIT...

Dans la peine et la cupidité.
Dans la fumée, la suie, les odeurs pestilentielles.
Dans la hâte, la sueur et la prétension.
Avec ses camions de vidanges et ses cannettes d'étain sur le bord des trottoirs.

Avec ses guerres, ses intrigues, ses duperies.
Avec ses meurtres pour de l'argent sous le couvert d'un soi-disant patriotisme.

JE DÉTESTE le monde de l'homme.

MAIS J'AIME CE QUE DIEU A CRÉÉ.

La véritable éducation, source de joie

LE VÉRITABLE BUT DE L'ÉDUCATION, C'EST LE DÉVELOPPEMENT HARMONIEUX DE TOUTES NOS FACULTÉS ET LE BUT PREMIER DE TOUTE CONNAISSANCE EST DE NOUS ÊTRE UTILE DE-MAIN. On peut acquérir la sagesse de plusieurs façons. Trop souvent, cependant, toutes nos connaissances ne contribuent pas à améliorer notre caractère, à nous apporter la paix de l'esprit ou à nous faire acquérir une compréhension fondamentale des valeurs.

Si nous croyons à ce que nous venons de dire, pourquoi ne reconnaissons-nous pas et ne développons-nous pas le domaine spirituel comme partie intégrante de notre programme d'éducation? Actuellement, nous reconnaissons trois domaines : MINÉRAL, VÉGÉTAL et ANI-MAL. Il faudrait en ajouter un quatrième, le DOMAINE SPIRITUEL, et NOUS AURIONS ALORS LE MEIL-LEUR SYSTÈME D'ÉDUCATION.

L'erreur, et il en fut toujours ainsi, c'est de croire que l'homme physique est l'homme réel et que le monde physique est le monde réel. L'homme véritable, souligne les Écritures, c'est l'homme spirituel et le monde véritable, c'est le monde spirituel.

117

Aujourd'hui, le grand danger dans les écoles publiques provient du fait qu'on a omis de voir la différence entre connaissance et sagesse. Nous formons le cerveau et nous laissons le coeur s'émanciper. Nous permettons à la culture et au caractère de faire route à part, bourrant les crânes de mathématiques et de langues étrangères sans introduire au programme les bonnes manières et la morale.

La véritable éducation consiste dans un développement harmonieux de toutes nos facultés. Savoir lire, écrire, compter, connaître la grammaire ne constituent pas plus l'éducation qu'un couteau, une fourchette et une cuillère constituent un repas. Il semble qu'on puisse développer une espèce de philosophie qui nous rende capables d'acquérir de la distinction et des connaissances mais *qui ne nous aide pas à faire face à tous les événements quotidiens de la vie. Beaucoup de gens instruits sont dans un état constant d'agitation intérieure et ne peuvent pas jouir de la paix intérieure et du bonheur.* On n'a pas appris la chose la plus importante : COMMENT SE CONDUIRE POUR VIVRE VRAIMENT.

Une éducation religieuse incluant les fondements de la morale et les moyens de distinguer entre le bien et le mal est la base fondamentale de toute éducation valable. Notre relation avec le Seigneur est la chose la plus importante qu'on puisse apprendre. Le but capital de la vie humaine est d'en arriver à une prise de conscience vitale que nous ne faisons qu'un avec le Pouvoir infini et que nous sommes ouverts à cet influx divin.

Ce qu'il y a d'important pour nous, ce n'est pas tant de comprendre Dieu dans son intégralité comme d'en découvrir la nécessité pour notre propre développement spirituel. *La vie spirituelle rend notre être libre. C'est par la vie spirituelle que nous devenons capables de répondre au Seigneur. C'est à ce niveau et à ce niveau seulement que nos capacités supérieures et nos qualités peuvent s'épanouir.* LA VÉRITABLE FONCTION DE L'ÉDUCATION, C'EST D'ASSURER UNE VIE DE PLÉNITUDE.

Billy Graham écrit : « Il est possible d'ériger une école publique et une université à chaque coin de rue dans chacune des villes de l'Amérique, mais une éducation purement intellectuelle n'empêchera jamais l'Amérique de sombrer dans la décadence. On ne peut pas vraiment appeler éducation celle qui néglige la partie la plus importante de la nature humaine. Une éducation tronquée est pire que l'absence totale d'éducation si on n'éduque que le cerveau et pas l'âme. »

Jésus a enseigné que la vie doit être centrée sur Dieu, que notre bonheur dépend de notre sainteté et que notre union à Dieu, c'est notre espoir de réaliser le but ultime de la vie. Cette manière de vivre nous enseigne à épouser les pensées de Dieu, à parler son langage, à vivre une vie conforme à celle à laquelle nous avons été appelés. CE FAISANT, NOUS NOUS PROTÉGEONS NOUS-MÊMES AINSI QUE LA SOCIÉTÉ DONT NOUS FAISONS PARTIE.

La société moderne a commis l'erreur fondamentale de désobéir à la loi du développement spirituel. Actuellement, notre plus grand besoin est de développer l'âme. Jamais n'avons-nous eu un besoin aussi grand d'un développement intégral. Grâce à ce développement, nous sommes capables de jouir au maximum de la beauté, de l'ordre et de la permanence de l'univers. Nous sommes capables de nous consacrer au service des autres. Nous pouvons communier avec la nature et découvrir dans cette communion les liens qui nous unissent à l'univers et qui ont toujours fait l'objet de nos recherches.

VOILÀ LA VÉRITABLE ÉDUCATION À SON MEILLEUR !

David Sarnoff écrit : « L'éducation digne de ce nom n'est pas seulement un développement de l'intelligence, pas plus que ce n'est uniquement un développement spirituel. Son but n'est pas seulement d'entasser des connaissances et de l'habileté technique, mais d'ennoblir l'âme de l'homme. Rarement dans le passé a-t-on vu un besoin aussi urgent d'intériorité et de discernement spirituels. »

En tant qu'individus, nous ne pouvons pas changer le monde de façon appréciable, mais nous pouvons bâtir notre monde en nous-mêmes, et ce monde peut être beau et heureux. J'espère voir le jour où les chercheurs en biologie seront assez honnêtes avec leurs données et aussi respectueux de la vérité qu'ils le sont quand ils traitent d'autres disciplines. Ils ne l'ont jamais été. C'est une des raisons qui expliquent pourquoi la génération présente se trouve dans un tel fouilli. *C'est aussi parce que nous avons délibérément caché à tous nos jeunes la vérité et nos conclusions scientifiques dans le domaine spirituel ; c'est parce que nous ne leur avons pas enseigné que la vie spirituelle est aussi réelle que toutes les autres vies.* Si nous ne nous conformons pas à ces énoncés, nous ne pouvons pas dire, à proprement parler, que nous enseignons vraiment et en toute vérité la biologie.

Ce que la sculpture est à un bloc de marbre, l'éducation l'est à l'âme humaine. Éducation veut dire expérience, foi, courage, compréhension et, par-dessus tout, la capacité de penser et d'agir. On retrouve là toute l'importance de l'éducation. Je dis éducation plutôt qu'instruction parce qu'il est beaucoup plus important de cultiver l'esprit que d'emmagasiner dans la mémoire. Les études sont un moyen et non une fin. Il faut toujours placer en premier lieu le développement d'une habileté générale de penser et de juger.

Nous enseignons à nos enfants qu'ils descendent de formes animales inférieures et qu'ils ne sont que des animaux sophistisqués munis d'un cerveau ; que nos impulsions et nos émotions prennent leur source dans des situations vécues dans la jungle et ne sont pas d'authentiques expériences humaines. *Nous négligeons de leur enseigner cette vérité que l'homme est un être spirituel, né de Dieu, créé à son image ; que notre véritable force pour mettre la vie en valeur et lui donner un sens est dans le développement de notre dimension spirituelle.* À moins de voir la vie dans cette optique, les douceurs de la vie mises à part, il n'y a rien qui vaille la peine d'être vécu.

Aujourd'hui, la plupart de nos problèmes personnels et nationaux originent de nos insuffisances spirituelles. La solution à tout problème, c'est de l'attaquer à sa racine même. Le manque de développement spirituel est la cause profonde de notre malheur actuel. Un jour, nous aurons la chance de répudier toute l'organisation anti-Dieu qui existe dans notre nation. Alors, il sera possible à Dieu de faire pour cette nation et pour chacun de nous individuellement ce qu'Il ne peut pas faire dans l'état actuel des choses.

Un jour, la science finira par admettre que Dieu est la mesure de l'univers et que l'homme, à son meilleur, est une mesure élémentaire et potentielle, et une révélation du Seigneur. Alors, pour la première fois en plusieurs millénaires, nous aurons une éducation digne de ce nom. Alfred North Whitehead, dans *Aims of education*, dit : « Tout programme éducatif qui omet de mettre l'accent sur les principes moraux et religieux est incomplet. »

La véritable éducation, c'est le développement holistique de l'homme dans son corps, son cerveau et son âme. C'est le sain développement de ses ambitions, aspirations et émotions, c'est l'application, après mûre réflexion, de ces qualités à son travail, à ses loisirs, à sa vie au sein de son foyer et de sa communauté. Conduire les gens à maturité, les amener à s'adapter aux conditions de la vie, former des personnalités indispensables qui apportent leur contribution, tels devraient être les buts de toute véritable éducation. La question à se poser à la fin de toute étape en éducation n'est pas de savoir ce que la personne a appris, MAIS ce qu'est DEVENUE la personne. Devenir CETTE PERSONNE IDÉALE que vous êtes capable de devenir, c'est en fin de compte ce qu'il y a de PLUS IMPORTANT DANS LA VIE.

Il faut que toute connaissance amène l'être humain à considérer sa vie intérieure comme affaire d'éducation personnelle afin de devenir graduellement capable de gouverner sa vie extérieure et prendre en main les situations qui se présentent. Ami lecteur, crois-moi, LE BUT DE TOUT SAVOIR, CE N'EST PAS LA SAGESSE MAIS UNE FOI PARFAITE. Il n'y a donc de CONNAISSANCE ESSENTIELLE que dans la FOI

PARFAITE. La FOI en un Dieu vivant, un Dieu qui vit dans votre coeur, c'est la VIE, la VIE ÉTERNELLE. ÉDUQUER VÉRITABLEMENT VEUT DIRE S'OCCUPER DE L'HOMME DANS SA TOTALITÉ : CORPS, CERVEAU ET ÂME.

L'heureux choix

Rien ne permet d'apprécier un homme aussi rapidement que son aptitude à choisir ce qui a réellement de la valeur. Chaque jour, nous devons faire preuve de discrimination éclairée. Ce n'est pas toujours un choix ENTRE LE BIEN ET LE MAL ; souvent, il nous faut choisir entre LE BIEN et LE MIEUX. La noblesse de nos pensées et la pureté de nos actes nous révèlent quel sera le contenu et la qualité de notre avenir. Un caractère, c'est un choix en fleur et une carrière réussie, c'est un fruit mûr. Conformément à une loi immuable, on rend aux hommes la monnaie de leur pièce, avec intérêts. Les pensées nobles et les choix judicieux produisent des réactions.

Les choses auxquelles nous permettons de contrôler nos vies nous moulent à leur propre image. Choisir entre le bien et le mal, c'est choisir entre la vie et la mort en ce monde et dans l'autre. PERSONNE N'A JAMAIS ÉCHAPPÉ ET N'ÉCHAPPERA JAMAIS AUX CONSÉQUENCES DE SES CHOIX. Une amitié parfaite avec le Seigneur, c'est le fondement à la fois de la récompense ou de la punition.

C'est au moment de ses études à Harvard que Wendell Phillips entendit les voix de trois millions d'esclaves qui réclamaient leur liberté. Ce cri le força à faire un choix. Ce fut un choix facultatif entre sa carrière, la richesse, la renommée et le service altruiste d'une minorité sans défense. Il opta pour le service. À cause de ce choix, son nom fut inscrit au temple de la renommée du Seigneur.

Beaumont était un homme d'un rare génie. Il fut presque l'égal de Shakespeare. En parlant de lui, le docteur Samuel Johnson dit: «Esprit brillant et pénétrant, il aurait pu être classé parmi les immortels.» Mais toute sa vie, son choix se porta sur des choses de moindre importance et jusqu'à sa mort, il s'occupa de bagatelles. Shakespeare était moins brillant, mais il accrocha son charriot à une étoile. Son nom lui a survécu; celui de Beaumont a disparu en même temps que celui-ci. *Ce n'est pas tellement par l'intellect qu'ils diffèrent mais par l'aptitude à choisir entre les choses de première classe qui demeurent et celles de seconde classe qui périssent.* CETTE LIBERTÉ DE CHOISIR, c'est ce qui fait de chacun de nous un individu, un dieu de son propre chef. Et nos CHOIX déterminent ce qui nous arrive et ce que sera notre avenir, heureux ou malheureux.

Toutes les promesses de bienfaits et tous les avertissements de châtiment s'appuient sur le principe scientifique qui veut que la récolte soit fonction de la semence jetée en terre. Que sera la récolte? Nous n'avons qu'à regarder la semence que nous mettons en terre. *Rien au monde, pas même Dieu, peut préserver quelqu'un des conséquences de ses mauvaises actions.* Le plus tôt nous prendrons connaissance de cette vérité et la mettrons en pratique, le plus tôt nous aurons une conception intelligente du christianisme.

Désormais, une personne intelligente ne peut pas plus se dérober à la conclusion que le péché, en soi ou à un degré quelconque, est un suicide et l'impiété un enfer, qu'elle ne le peut à l'existence de sa propre nature. On parle d'un Dieu qui punit le péché. C'est absolument faux. *Le péché comporte son propre châtiment, tout comme la vertu comporte sa propre récompense.* Les hommes et les nations sombrent ou prennent leur essor, survivent ou périssent selon qu'ils choisissent d'être dominés par le péché ou la vertu.

Dans leur choix, la plupart d'entre nous peuvent faire de ce monde un palais ou une prison. Une vie réussie dépend des choix que vous faites. Il vous faut savoir ce qui est important pour vous et ce qui ne l'est pas. Un choix intelligent implique un sens réaliste des valeurs.

En toutes choses, notre principale motivation est de parvenir à la satisfaction et à la joie. Les forces invisibles de la nature, ou lois de Dieu, envahissent tout l'univers. Des forces invisibles qu'on appelle les lois de la nature de l'homme l'envahissent tout entier. Ces lois sont invisibles mais sont aussi réelles que la loi physique de la gravité. Leurs raisons d'être sont aussi invisibles, mais sont la véritable épreuve du caractère. Mon ami, la parole de Dieu est axée sur la vertu, mais Il a fait de vous un agent libre EN VOUS DONNANT LE POUVOIR DE CHOISIR.

Ce sont nos choix qui constituent vraiment la vie. Nous en sommes la somme et si nous maintenons une attitude d'amour et de reconnaissance pour tous les biens qui sont à notre portée, nous pouvons avoir tout ce que les gens ambitieux désirent, le SUCCÈS et le BONHEUR.

IL NE DÉPEND ENTIÈREMENT QUE DE VOUS D'EN USER OU D'EN ABUSER.

« Dieu est le plus grand démocrate que le monde connaisse, car Il nous a laissés libres de faire notre propre choix entre le bien et le mal » a dit le mahatma Gandhi.

LES HOMMES QUI RÉUSSISSENT

Les hommes qui réussissent font souvent un succès d'une chose qui semblait devoir échouer.
S'ils connaissent le mot échec, ils ne l'admettent pas.
S'ils sont vaincus, ils ne s'en aperçoivent pas... ils CONTINUENT DE LUTTER.
VOILÀ POURQUOI ils RÉUSSISSENT.

ALFRED ARMAND MONTAPERT
Comment réussir sa vie

Les lois naturelles de la vie

L'univers entier, y compris l'homme, est soumis à des forces invisibles appelées lois naturelles. L'univers entier est axé sur la droiture et toutes les lois naturelles y tendent.

L'univers est ordonné. Qu'arriverait-il si le soleil était libre de choisir, comme l'homme, et qu'il décidait de se lever à minuit et de dormir jusqu'à midi ou de faire la grève? La nature, qui n'a pas le choix, est responsable et on peut lui faire confiance. L'univers entier, les jours, les saisons, le soleil, la lune, les étoiles, la gravité, l'électricité, la chimie, la physique, etc., tout est soumis à un ordre déterminé.

Mais l'homme, qui a le pouvoir de choisir librement, a enfreint les lois naturelles et provoqué un chaos indescriptible où règnent le crime, la terreur, la détérioration et le désastre. C'est parce qu'il a la liberté de choisir et qu'il y a des lois naturelles que l'homme est soumis aux conséquences de ses actes. La loi de cause à effet agit aussi sûrement dans les domaines mental, moral et spirituel que sur le plan physique où nous pouvons tous l'apercevoir et la comprendre.

Il n'y a qu'un moyen pour que l'homme parvienne à se sortir de ce chaos et c'est d'accepter et d'observer les lois naturelles qui sont le seul remède, la seule solution à ses problèmes. MAIS le mot d'ordre aujourd'hui est : « Fais ce qui te plaît ! » Tout acte par lequel nous obéissons aux lois de Dieu conduit à un raffinement de bonheur, de contentement et de joie. Le BONHEUR en est la CONSÉQUENCE.

C'est sa désobéissance aux lois naturelles et le nombre incalculable de lois humaines qui conduisent l'homme à une vie désordonnée. Nous avons aujourd'hui une infinité de lois humaines dont l'observance est surveillée par une vaste hiérarchie d'hommes de loi et de politiciens. L'HOMME S'EST DE PLUS EN PLUS ÉLOIGNÉ DE LA NATURE ET DE SES LOIS.

Depuis toujours, le problème de Dieu a été d'amener l'homme à voir les choses de SON POINT DE VUE, à respecter ses forces cachées qui sont les lois naturelles. C'est parce que l'homme ne connaît pas ou ne veut pas respecter ces lois que le monde est dans sa condition actuelle.

L'homme moderne protestera qu'il est sorti de son état d'homme primitif pour devenir l'homme très civilisé et cultivé qu'il est aujourd'hui. Mais qu'avons-nous fait pour le bien-être de l'homme, pour le bien de son âme ? Avons-nous calmé son esprit ? Lui avons-nous donné l'harmonie et la sérénité ?

Il est normal pour l'homme de ne pas voir ce qui saute aux yeux. Goethe disait : « Les lois universelles qui régissent la nature humaine seront la dernière chose que l'homme apprendra. » Dans notre génération supposément éclairée, très peu d'hommes connaissent les lois de leur propre nature. Et pourtant, tous nos problèmes viennent de la nature de l'homme.

VIVRE VRAIMENT, C'EST VIVRE DANS LE RESPECT DE LA LOI... L'homme qui passe dans l'univers, emporté par le courant de la loi divine, est comme un navire emporté par les puissants courants de l'océan. L'homme sage ne désire pas se dérober à la loi, mais aspire à une parfaite harmonie avec elle. «Les poissons, a dit Confucius, sont nés dans l'eau et l'homme est né dans la loi. Si les poissons trouvent un étang, ils seront florissants de santé; si l'homme vit dans l'observance de la loi, il vivra dans la paix.»

L'amitié est source de bonheur

UN AMI, C'EST QUELQU'UN...

... Avec qui vous pouvez être sincère.

... À qui vous n'avez pas besoin de donner d'explication.

... Avec qui vous n'avez jamais besoin de vous défendre.

... Sur qui vous pouvez compter, qu'il soit présent ou absent.

... Avec qui vous n'avez jamais besoin de similer.

... À qui vous pouvez vous confier sans crainte d'être trahi.

... Qui ne croit pas vous posséder parce que vous êtes son ami.

... Qui ne profitera pas de vous de façon égoïste parce qu'il a votre confiance.

J'AIMERAIS AVOIR UN TEL AMI...
ET J'AIMERAIS ÊTRE UN TEL AMI.

UNE CHANCE
LES HEURES, LES JOURS, LES ANNÉES QUI S'ENVOLENT OFFRENT DES CHANCES QUI PASSENT RAPIDEMENT.
SAISISSEZ-LES MAINTENANT, SINON ELLES S'ENVOLERONT !

ALFRED ARMAND MONTAPERT
Distilled Wisdom

L'amitié

De toutes les routes que j'ai parcourues jusqu'ici, les plus solitaires ont été les plus encombrées, et les plus agréables ont été celles que j'ai parcourues seul ou avec une personne dont l'amitié était si réelle qu'elle n'avait pas besoin de s'exprimer par des mots.

En y repensant bien, ce qui rend certaines routes si solitaires, c'est qu'il y a trop de paroles et trop de bruits. À ce propos, il n'y a rien de plus dangereux pour l'amitié et la paix de l'esprit qu'une trop grande abondance de paroles. De fait, peu d'amitiés survivront à un flot ininterrompu de paroles et à un bruit continu.

On comprend parfois le silence plus vite et plus profondément que les paroles. Vous pouvez même dire votre amour jusqu'à ce que la déclaration cesse de sonner vraie. Ce que vous RESSENTEZ, vous le faites ressentir aux autres. Alors, la route qui apporte le plus de satisfaction est celle où plane le silence et où les pensées sont le langage que les coeurs ressentent et comprennent.

On peut avoir plusieurs connaissances mais peu d'amis. Il faut faire preuve de discernement dans le choix des amis, car il est étonnant de voir combien l'homme devient vite semblable à ceux avec qui il s'associe.

«Je ne passerai qu'une fois sur cette terre. Donc, tout ce que je peux faire, toute tendresse que je peux manifester à un être humain, que je le fasse maintenant et que je ne le remette pas à demain par négligence, car je ne vivrai pas de nouveau cet instant», nous avertit Étienne de Grallet.

Qu'attendez-vous de la vie?

Personnellement, qu'attendez-vous au juste de la vie? Voilà une des questions les plus importantes qu'un jour il vous faudra envisager. Essayez cette idée de mettre par écrit de façon précise ce que vous désirez réellement ÊTRE, FAIRE et AVOIR.

Que ferez-vous de votre vie? Remporter des succès en affaires ou dans une profession? Gagner un revenu substantiel? Avoir des amis, de l'influence dans votre entourage, un poste élevé dans la carrière choisie? Acquérir de la RENOMMÉE, être PUISSANT? Avoir une bonne POSITION, de la SÉCURITÉ, un AMOUR véritable? Goûter aux JOIES SPIRITUELLES? Enfin quoi?

Vous pouvez avoir à peu près tout ce que vous voulez, si vous en avez suffisamment envie et êtes prêt à vous sacrifier pour cela. Le monde ne vous donnera rien sans en retenir son prix. Selon les lois de votre nature ou celles de l'univers, il faut payer ce que vous recevez ou ce qui vous est donné. C'est dans l'ordre de la nature. Prenez ce que vous voulez et ce dont vous avez besoin, mais il vous faut en payer le prix d'une manière ou de l'autre.

Voici la vérité pure et simple: D'abord, vous devez AVOIR UNE IDÉE BIEN ARRÊTÉE de ce que vous voulez réellement. En second lieu, êtes-vous prêt à y mettre le prix pour réussir : études, travail, sueur, effort et argent ?

Si ce prix pour réussir est trop élevé pour vous, votre désir n'est pas assez ardent pour l'avoir. Le DÉSIR, c'est la PUISSANCE qui soutient l'effort. Petit effort, petits résultats. Effort important, résultats importants. C'est aussi simple que cela.

La question devient alors : Êtes-vous prêt à payer le prix requis, quel qu'il soit ? Ce que vous recherchez est il de très grande valeur ? LE PRIX DE TOUTE CHOSE, C'EST LE PRIX DU TEMPS DE VOTRE VIE QUE VOUS PASSEZ À L'OBTENIR.

Vous ne pouvez obtenir plus que ce que vous désirez. Le prix que vous consentez à payer donne la mesure de ce que vous obtiendrez. Ce principe s'applique à tout, par exemple à l'argent, au pouvoir, à la renommée, aux biens, voire à la prière exaucée. Vous ne pourrez réaliser et posséder que ce que vous aurez conçu dans votre esprit.

Soyez avisé avant de choisir. Si vous désirez consciemment et immanquablement prendre des décisions sages, il vous faut être bien conscient du choix à faire. Votre capacité de maîtrise personnelle génère dans votre vie une estime de vous-même et une JOIE plus grande. Le choix le plus judicieux, c'est de développer votre capacité de penser juste.

De naissance, vous êtes un individu unique. Alors pourquoi copier les autres ? Pourquoi suivre le troupeau ? *Soyez vous-même, utilisez les talents que Dieu vous a donnés et vous réussirez et serez heureux. Si vous n'offrez que ce que tout le monde offre, qui a besoin de vous ?* Quittez donc votre monde actuel pour aller là où vous aspirez être : avec des amis, des êtres chers, dans le monde des finances ou n'importe quel autre domaine de votre univers personnel. Votre but principal est de passer votre vie dans la JOIE ET D'ÊTRE HEUREUX. Si vous faites cela, votre vie sera utile, constructive et profitable. QUANT À REGARDER EN ARRIÈRE, JAMAIS PLUS !

Il n'y a pas de raison pour laquelle vous n'essaieriez pas de rendre votre vie plus joyeuse et moins douloureuse, tant que vous ne brimez pas les droits des autres par la force. Entretenez des idées pratiques et réalistes qui conduisent à une vie heureuse qui a sa récompense.

Sur toute chose il y a une étiquette qui en indique le prix. Plus le bonheur que vous désirez atteindre est grand, plus le prix pour y parvenir devra être élevé. C'est une déduction de la loi naturelle de cause à effet, d'action et réaction. L'homme faible croit à la chance, mais l'homme fort croit au principe de cause à effet.

Faites une analyse, dès le départ, du prix de tout ce que vous désirez. Est-ce nécessaire ? Cela en vaut-il le prix ? Le prix peut s'exprimer de différentes façons, prendre des formes différentes comme temps, énergie, argent, manque de confort, maladie, santé, voire éventuellement la mort. Cela en vaut-il le prix ? Voilà la question importante.

Chacun a le désir de rendre sa vie meilleure et plus heureuse. La question que l'on se pose est de savoir ce qu'on peut faire pour atteindre ce but. Qu'est-ce que je peux faire pour acquérir des connaissances et être plus sage, pour faire face aux changements et au désarroi de la vie, pour bien m'entendre avec les gens, pour apprendre à résoudre les problèmes, pour servir ma famille et mon pays, pour devenir une meilleure personne, pour vieillir heureux?

Les hommes et les femmes ont pris des routes diverses à la recherche d'une vie heureuse. Certains ont échoué parce qu'ils ne se sont pas fixé de but précis et qu'ils se sont laissés aller au fil de l'eau en espérant toujours se fixer sur une des terres de leurs rêves flous. Le secret d'une vie réussie, d'une vie heureuse, c'est de planifier et d'agir, planifier et agir.

Dans un monde d'ostentation, il est nécessaire de s'effacer. Ne faites pas étalage de ce que vous avez. Quand vous restez dans l'ombre, vous empêchez les gens de vous envier. La plupart des gens vous envient ou vous jalousent si vous avez quelque chose qu'ils n'ont pas ou si vous réussissez. Le succès, c'est la torture de l'envieux. Quand vous aurez appris à rester dans l'ombre, vous comprendrez mieux cette phrase: «Heureux les doux, car ils posséderont la terre.» (Mt 5:4)

Shakespeare fait dire à l'un de ses personnages: «Si nous sommes des subalternes, la faute, mon cher Brutus, n'est pas dans nos étoiles, mais en nous-mêmes.» C'est faire preuve de peu de FOI que de ne pas croire qu'il y a en Dieu et en nous un pouvoir et une connaissance incommensurables.

Si votre coeur est en communion avec Dieu, vous serez de cinquante pour cent plus heureux et de cinquante pour cent plus prospère. C'est payant de marcher côte à côte avec le Seigneur. Vous vous êtes peut-être imaginé que la prière est une chose à laquelle on s'adonne comme le feraient des gens faibles d'esprit. *Quand vous priez intelligemment, vous utilisez une des grandes forces scientifiques du monde qui vous prépare à mieux comprendre, à avoir un corps sain et en santé et qui vous aide à vous diriger normalement sur le sentier que vous êtes appelé à parcourir.*

L'homme qui prie de façon intelligente sera plus courageux, plus satisfait, plus travaillant, plus productif. Si votre prière ne vous élève pas à ce niveau, c'est qu'elle est tout simplement une farce. Si la prière est réelle, elle accomplira tout cela pour vous. Ce n'est pas surprenant que Roger W. Babson, le plus grand statisticien dans le monde des affaires, ait dit : « La ressource naturelle la plus sous-développée est l'âme de l'homme. » Il avait raison. Si la prière rend les hommes en meilleure santé, plus courageux, plus travaillants, elle fait exactement ce qu'elle est supposée faire.

Il ne faut pas prier Dieu pour l'influencer en notre faveur. Nous devons prier POUR NOUS ÉLEVER LÀ où les grâces et les bienfaits de Dieu abondent. À ce niveau, la prière devient l'ATTITUDE recommandée par Jésus-Christ lorsqu'il dit : « SI TU CROIS, tu verras la gloire de Dieu. » (Jn 11:40) Quand le coeur et l'esprit de l'homme sont en harmonie avec l'Esprit créateur qui soutient l'univers, l'homme a de nouvelles ressources pour VIVRE PLEINEMENT.

J'ai entendu
le joyeux chant de l'oiseau

Étrange, n'est-ce pas, qu'une chose sans importance puisse éveiller un souvenir qui appartient à un passé lointain et ainsi créer un état d'âme? J'ai entendu un chant d'oiseau. Ce fut à peine un fragment de mélodie que la brise introduisit chez moi par une fenêtre entrouverte, au moment où l'oiseau chanteur passait en volant devant mon bureau de travail. Mais quelque chose dans cette brève mélodie a éveillé un souvenir qui m'a transporté loin sur des terres sises à environ trois mille kilomètres de l'endoit où j'étais.

C'était un endroit entouré de marais verts et perfides et parsemés de joncs en rangs serrés d'où émergeait un ruisseau paresseux qui donnait une couleur rouille aux berges de ses rives.

C'était un marais au-dessus duquel j'avais observé des libellules aux tons d'émeraude, d'or et d'améthyste qui étincelaient de tous leurs feux; c'était un marais où j'avais écouté les accents troublants des passereaux au moment où le soir semble s'enivrer de vin à la coupe d'or d'un couchant aux couleurs ambrées.

C'était un marais qui devient musical quand le choeur des grenouilles se fait entendre au moment où la nuit recouvre de son manteau noir le sommet des collines ; à ce moment-là, les engoulevents viennent ajouter leurs notes saccadées au choeur des basses profondes des batraciens. *Aussi loin que remontent mes souvenirs, j'ai eu des aventures amoureuses avec la nature.*

C'était un marais que plusieurs auraient qualifié de repoussant, mais qui m'a permis plus d'un jour de solitude et où je me suis abreuvé en profondeur aux sources tonifiantes de la force que la nature offre à ceux qui se prosternent en adoration devant ses autels lointains.

L'oiseau a continué son vol, mais son chant a persisté, qui m'a ramené cinquante ans en arrière. Comme des eaux qui luttent avec les berges qui les retiennent, mon coeur, rebelle et solitaire, est abandonné à ses luttes avec le présent, ses contraintes et ses limites.

Mais j'ai eu une heure de communion avec le passé et mon jour d'aujourd'hui s'est enrichi... Merci, pour la soi-disant bagatelle. De telles bagatelles, comme beaucoup de petites choses, prennent de l'importance quand elles affectent et influencent les coeurs.

On se souviendra plus longtemps de ce chant que d'une conférence. C'est délicieux de pouvoir revivre le passé, de pouvoir revivre les souvenirs qui donnent sens et profondeur à la vie. *Milton, devenu vieux et aveugle, tira de ses souvenirs le plus beau poème qu'il n'a jamais écrit. Longfellow fit cette réflexion que les années écoulées lui avaient fourni matière à créer les plus beaux poèmes. Muretus dit que c'est l'histoire tirée des souvenirs incroyables de Sénèque qui lui a inspiré ses plus célèbres réussites.*

Vous pouvez revivre votre vie à l'aide des chansons. Je me souviens où je travaillais et des conditons de vie d'alors quand plusieurs chansons firent leur apparition. Je les chantais, je les sifflais. Les paroles de la chanson «Memories» sont très belles. Quant à la chanson «Remember»... Je peux me rappeler l'homme qui la chantait au théâtre de l'Hippodrome : C'était en 1917, le seul jour où je fis l'école buissonnière. Le passé, c'est la banque où l'on remise nos plus grandes valeurs... Les souvenirs qui donnent sens et profondeur à la vie.

La minute exquise
du moment présent

Dans toute la littérature, il n'y a peut-être pas un passage qui exprime avec autant de plénitude et de satisfaction l'ivresse du moment présent que cette description pittoresque et poétique de David au 23ᵉ psaume.

Dans le lointain, les montagnes baignées de lumière et couronnées de nuages s'appuient sur le ciel en cette heure matinale. Il y a deux heures, une fée lumineuse levait le rideau de la nuit sur un monde endormi et l'étoile du matin disparaissait dans l'aube. Des milliers de perles de rosée, blotties dans les feuilles et dans l'herbe tendre comme dans un berceau, captaient leurs premiers rayons de soleil et semblaient esquisser de gracieux sourires à travers leur transparence.

C'est dans une formidable explosion de mélodies diverses au rythme martial que les oiseaux saluaient le jour et ses premiers pas ; de son côté, on aurait dit que le ruisseau qui serpentait dans le pâturage faisait courir ses doigts sur le clavier de son orgue géant, ouvert à pleine puissance, et que sa mélodie semblait évoquer le clapotis des eaux. Au même moment, des colonnes de lumière avançaient en rangs continus. Le flanc de la montagne et la vallée resplendissaient alors de fleurs aux mille nuances et les saules en bordure du ruisseau balançaient leur verte chevelure au premier souffle de la brise.

Un troupeau de moutons s'était répandu dans le pâturage et s'y déroulait comme la vague d'un gigantesque océan d'argent; les nuages aussi avaient déployé leurs voiles pour le voyage du jour. Les agneaux allaient brouter loin de leur mère et y revenaient à vivre allure après leurs brèves explorations; on aurait dit des balles de laine noire et blanche transportées au gré des vents. Dans leur course folâtre, leurs pieds faisaient lever des myriades de sauterelles qui s'envolaient avec précipitation dans un bruissement d'ailes diaprées aux teintes vertes, jaunes, brunes et grises. Leurs voix chevrotantes émettaient des bêlements de satisfaction et formaient un choeur aux accents bucoliques; pendant ce temps, le berger, perdu dans ses rêves, se reposait, la tête appuyée sur une souche que réchauffait le soleil; il écoutait le chant joyeux du passereau perché au sommet d'un cerisier et l'appel déchirant de l'alouette des champs qui avait choisi comme tribune la roche la plus haute d'un immense tas de cailloux.

Puis, le soleil monta de plus en plus et sa chaleur recouvrit de son manteau le pâturage et le troupeau. L'un après l'autre, les moutons gagnèrent un champ de mélilots et ruminèrent d'un air rêveur.

Et voilà, mon ami, la description de ce moment divin qui satisfait par sa plénitude. Un présent replet et satisfaisant est nécessaire, pour deux raisons très importantes. La première: Le coeur de chacun d'entre nous ne peut connaître la satisfaction d'une autre manière. En second lieu, il n'existe aucune autre façon d'être utile en permanence. Grâce à l'union de notre coeur avec Dieu, nous ne sommes plus angoissés par les désirs du coeur, car elle nous conduit à la salle d'un banquet où les convives jouissent de la plénitude du moment présent. Pour avoir le sentiment de vivre en plénitude une vie riche, une vie qui nous satisfait, il nous faut faire qu'un avec Dieu.

Le seul IDÉAL valable que vous trouverez en ce monde est celui que vous portez dans votre coeur. Quand nous perdons notre idéal, nous sommes mûrs pour la tombe. Dans la vie, il n'y a pas de tragédie qui puisse se comparer à celle de la perte d'un idéal. Des désillusions, il y en a certainement. Des déceptions, il y en a assurément. Des échecs éventuels, oui. Mais dans la vie, il n'y a pas de tragédie qui se compare à la perte d'un idéal. Sans un idéal, l'âme meurt. En un mot, le secret d'un homme, c'est le secret de son aspiration. Salomon l'a très bien exprimé : « Faute de direction, un peuple succombe. » (Pr 11:14) Et il succombe parce qu'il n'y a pas de magnétite qui le mène vers ce pour quoi il a été conçu ou qui l'inspire à chercher au-delà.

Le sentier féerique du bonheur

De l'autre côté du ruisseau, tout près de notre petit cottage, un sentier serpente à l'assaut de la colline et disparaît dans la forêt. Comme tous les autres sentiers qui font leur chemin à travers la forêt, celui-ci m'intriguait. Son attrait devint irrésistible et ainsi, un jour, répondant à l'appel pressant des ombres d'une fin d'après-midi, je me dirigeai vers le pâturage où le sentier disparaît mystérieusement derrière un écran de vigne et commence son ascension de la colline.

C'était un nouveau sentier. Je ne savais pas ce que j'y allais chercher. Chaque tournant, chaque colline, chaque vallée devenait donc une aventure passionnante. Chaque enchevêtrement de vigne aux ramifications inextricables, chaque arbre, chaque touffe de fleurs sauvages, chaque talle de fougères était une découverte.

C'est ça, la vie : Chaque jour est une nouvelle route. Comme au prophète de l'Ancien Testament, chaque matin nous rappelle ces paroles : « Vous n'êtes jamais passés par ce chemin. » (Jos 3:4) C'EST L'ATTRAIT DE L'INCONNU QUI FAIT DE LA VIE UNE AVENTURE PASSIONNANTE.

Si tous nos jours étaient établis selon un horaire, la vie deviendrait d'une insupportable monotonie. C'est une sage disposition de la Providence que la route ne puisse se révéler qu'une fois parcourue. Il y a un petit peu du pionnier en chacun de nous et cultiver cet esprit est essentiel au progrès de la religion, de l'éducation, de la politique ou de quoi que ce soit d'autre. Béni soit celui qui ne se laissera pas aller à devenir l'écho ou la pâle copie d'un original ; en vérité, je vous le dis, on doit l'empêcher de développer une attitude de servilité qui détruit radicalement la personnalité et l'initiative.

Parfois, il pourrait être avantageux de connaître quelque chose de la route à venir, mais ces avantages seraient contrebalancés par le fait que la connaissance de ce qui nous attend au prochain tournant pourrait souvent rendre triste et sans intérêt ce qui autrement serait une découverte passionnante.

Il n'y a pas que cela, car la connaissance de ce qui nous attend serait souvent si terrifiante que nous n'aurions plus le courage de poursuivre notre route.

Si les diseurs de bonne aventure et les voyants pouvaient révéler l'avenir, je n'irais pas les voir. J'aime beaucoup mieux laisser chacun se pencher sur la route et y découvrir sa propre joie ou sa tristesse.

Parfois, plusieurs jours devront s'écouler avant qu'il ne soit possible de s'éloigner suffisamment des bruits de la foule pour communier avec les forces suprêmes et calmes de la forêt. Une fois que les échos d'une humanité grouillante et aveugle se sont perdus dans la solitude solennelle des endroits éloignés, on expérimente comme un retour à la maison qui ne ressemble à rien d'autre sur cette terre. Les collines et les vallées, les rochers escarpés, les fougères arborescentes, les arbres et les nuages revêtent une tendresse plus profonde que celle que l'humanité a le pouvoir de donner ; on y trouve en effet une hospitalité qui surpasse tous les efforts des hôtes même les plus parfaits.

Le coeur a une manière de faire face aux événements à mesure qu'ils se présentent : événements de joie ou de tristesse, de succès ou d'échecs apparents et, comme le dirait Tennyson, le coeur nous remplit de « la gloire de poursuivre ». L'expérience des ans (peu importe le nombre en ce moment, car on peut vivre intensément en peu d'années ou vivre peu en plusieurs années) m'a rendu de plus en plus certain que cette philosophie de la vie satisfait davantage que ne pourrait le faire toute invention programmée pour révéler l'avenir.

Des visions de grands lendemains ont envahi mon esprit, me promettant un monde qui épate par ses réalisations, mais ces visions sont en grande partie disparues dans le loitain. Et c'est bien qu'il en soit ainsi. N'eurent été ces rêves de réalisations futures, l'âge mûr serait depuis longtemps devenu un monde d'une triste monotonie.

La déception m'a rencontré à plus d'un tournant de la route, mais une fois l'obscurité disparue, un nouveau lever de soleil a fait renaître mon courage et m'a donné la force de lutter encore une fois. C'est ainsi que les années m'ont rapidement conduit à l'âge mûr après avoir passé par beaucoup de changements et d'étranges vicissitudes.

Si je regarde en arrière, je peux voir la route qui serpente dans la lumière et dans les ombres, qui escalade les collines, plonge dans les vallées, chemine en des endroits calmes et puis se lance à l'assaut d'escarpements abrupts et difficiles. Mais toutes ces vicissitudes ont eu leur avantage, car elles ont fait s'accroître mon crédit à la banque de l'expérience et c'est sur ce compte que je fais des retraits qui me rendent capable de faire face aux devoirs, responsabilités et nécessités du moment présent ; en effet, j'aurais manqué de courage en ce moment n'eut été cet hier plein de soleil et d'ombre, de tristesse et de joie.

Je me tourne vers l'ouest. La route est cachée ; là-bas, je peux voir les contours mal définis de la colline qui projette sa silhouette dans les ombres du crépuscule. Un jour, d'une main tremblante non de peur, mais d'émotion créée par l'attente fiévreuse d'une merveille à venir, un jour, dis-je, j'ouvrirai les rideaux et je partirai pour le grand inconnu. Qu'y a-t-il dans cet inconnu ? Je ne le sais pas. Je sais seulement que le Maître avec qui j'ai voyagé est là et, avec Lui, des années sans nombre ne peuvent que signifier des aventures extraordinaires. Alors, je continue de me hâter en direction du dernier tournant du sentier, soutenu par l'espoir qu'il y a cependant encore beaucoup d'expériences passionnantes que la vie me réserve.

Une vie heureuse

Nous ne sommes pas sur cette terre uniquement pour nous enrichir, acquérir de la renommée et de la puissance, devenir des sommités du monde des arts et des sciences ou édifier une entreprise gigantesque.

Il se peut que tous ces objectifs ou quelques-uns d'entre eux fassent partie de nos obligations et nous satisfassent pleinement. Mais ce qui compte dans tout ce que nous faisons dans la vie, c'est de mettre notre entière confiance en Dieu et de CROÎTRE EN AMOUR ET EN NOBLESSE.

Nous pouvons apprendre les arts les plus raffinés de la vie comme la musique, la peinture, la sculpture, la poésie ; nous pouvons maîtriser la plus grandiose des sciences ; nous pouvons atteindre un très haut niveau de culture grâce à la lecture, l'étude, les voyages, les conversations avec des gens cultivés. Mais si en tout cela, nous ne développons pas notre dimension spirituelle et n'arrivons pas à ne faire qu'un avec le Seigneur, nous passons à côté de la vie. Ce n'est pas dans nos occupations extérieures que se trouve le secret pour vivre heureux, mais au plus profond de notre vie intérieure.

Tout individu a le droit de rechercher une vie heureuse aussi longtemps qu'il ne s'immisce pas par la force

LE CHEMIN DU BONHEUR

dans les affaires des autres. Commencez aujourd'hui à faire quelque chose de bien pour quelqu'un que vous avez probablement négligé trop longtemps.

Si, au milieu de notre quotidien où se chevauchent soucis, épreuves, joies et peines, nous ne croissons pas jour après jour en foi, amour, gentillesse, générosité, prévenance, compassion et en tout ce qu'il y a de plus grand dans la vie, nous ne vivons pas la grande leçon que le Maître a formulée pour nous dans cette école qu'est la vie et *la vie ne vaut pas la peine d'être vécue. Il n'en revient qu'à VOUS qu'elle en VAILLE LA PEINE.*

La satisfaction

La plupart d'entre nous ont plus BESOIN d'être profondément SATISFAITS de la vie telle qu'elle est que de la comprendre en profondeur. LE SECRET DE LA SATISFACTION, C'EST DE SAVOIR ÊTRE CONTENT DE CE QU'ON A.

Comme tous les arts, celui d'être satisfait de la vie doit s'apprendre et être mis en pratique tous les jours avec grand soin. Bien des gens croient continuellement que leur vie est stérile; alors, l'inquiétude et l'insatisfaction remplissent leur esprit.

De nos jours, le DÉSIR DÉSORDONNÉ de posséder est la motivation dominante. Il est évident qu'on peut avoir trop de désirs. Écoutez ce que plusieurs d'entre les sages ont à dire sur le sujet:

Thomas Fuller: «Ce n'est pas en ajoutant du combustible qu'on est satisfait, mais en éteignant le feu; ce n'est pas en augmentant les richesses, mais en FAISANT DIMINUER LES DÉSIRS DES HOMMES.»

Joseph Addison: «Un esprit satisfait est le plus grand bienfait dont un homme puisse se réjouir en ce monde.»

John Balguy : « La satisfaction est une perle de grand prix et quiconque se la procure EN ÉCHANGE DE DIX MILLE DÉSIRS a pris une sage et heureuse décision. »

Sir James Mackintosh : « C'est bien de se contenter de ce qu'on a, mais jamais de ce que nous sommes. »

La Rochefoucauld : « Quand on ne peut trouver en soi la satisfaction, c'est peine perdue de la chercher ailleurs. »

Lin Yutang : « Le secret de la satisfaction, c'est de savoir JOUIR DE CE QUE VOUS AVEZ et d'être capable de RENONCER À TOUT DÉSIR DES BIENS QUI SONT HORS DE VOTRE PORTÉE. »

Un proverbe chinois : « Un HOMME dont le coeur n'est PAS satisfait est comme un serpent qui essaie d'avaler un éléphant. »

Confucius : « Si je n'ai que du riz à manger, que de l'eau à boire, que mon bras comme oreiller, je suis toujours satisfait. »

Socrate résume le tout en disant : « La SATISFACTION est une richesse naturelle. »

Le Livre des psaumes : « Ma coupe déborde. » (23:5)

La satisfaction est la récompense de l'homme qui vit avec une foi inébranlable en un Dieu infaillible. La personne qui vit avec l'éternité dans son coeur trouve un calme étrange et une force dans son esprit.

La joie et la satisfaction sont en vérité des qualités que très peu de gens expérimentent dans leur vie. Il est caractéristique de notre société de tenter de décrocher la lune. La personne qui sait jouir de la vie ne vieillira jamais, quel que soit son âge. C'est facile d'être heureux certains jours, MAIS C'EST CERTAINEMENT un art d'être heureux et satisfait tous les jours.

Le bonheur au printemps

Oui, la fièvre du printemps m'a gagné! Je veux marcher le long d'un sentier qui serpente au milieu des arbres en quête de fraîcheur.

Je veux écouter de nouveau la voix du silence.

Je veux adorer là où les paroles, la musique, les sermons ne sont pas nécessaires.

Je veux oublier... en un endroit, à l'extérieur, où la nature me rappelle les choses essentielles.

Je veux sentir le vent sur ma figure, la rosée dans mes cheveux et la présence de Dieu, semblable à une chaude brise dans les endroits ombragés.

Je veux m'entretenir avec les choses qui n'ont aucun langage parlé et entendre des mots qu'on ne trouve pas dans le dictionnaire.

Je veux être seul avec plus de compagnie qu'on en peut trouver dans une foule.

Je veux vider mon esprit en le remplissant jusqu'au bord de mille riens, au point qu'il ne reste plus de place pour des pensées.

Je veux être réveillé par un bain de lumière qui ne me rappelle pas ces journées où tout est planifié, mis en ordre et classifié.

Je veux observer le paysage du printemps. Sa beauté fait frémir mon âme de joie. Pendant que les uns font des plans et que les autres travaillent fort, j'aime m'asseoir et contempler.

Je veux m'étendre sur le ventre et boire de l'eau au ruisseau qui n'a pas été déclarée « sans danger » par ceux qui prennent un tel intérêt à ma santé qu'ils finissent par me tuer.

Je veux cueillir et manger des baies, du cresson, des cerises sauvages qui n'ont pas été arrosés d'insecticide au point d'avoir un goût de carton trempé dans du kérosène.

Bref, je veux m'en aller loin de ce gâchis que les hommes ont fait et, pour un instant, vivre dans le monde de Dieu.

JE SUIS HEUREUX ET RECONNAISSANT DE BEAUCOUP DE CHOSES, MAIS SURTOUT...

De ces nuits où je n'ai qu'à suivre le sentier et à me faire un feu de camp accueillant, là où les montagnes aux flancs rocheux resplendissent de la blancheur des neiges éternelles.

De ces heures passées en compagnie des arbres, quand la brise du soir s'attarde à murmurer son bonsoir aux branches qui frémissent.

De ces heures passées en compagnie des étoiles quand elles vacillent dans le noir comme des chandelles qui scintillent derrière de minces rideaux.

De ces heures passées avec les oiseaux qui se juchent dans les branches touffues d'un cèdre et babillent doucement, comme des enfants effrayés dans le noir.

De ces heures passées à écouter le murmure des eaux qui remplissent la nuit d'une musique qu'aucun musicien n'a pu coucher sur papier.

De ces heures passées à contempler les lueurs vacillantes d'un feu de camp projetant ses silhouettes sur les arbres, alors que les premières étoiles sortent pour jouer à cache-cache avec les nuages qui reflètent les couleurs argentées de la lune qui se lève.

De ces heures passées avec le Seigneur qui Se fait entendre très fort au milieu du silence et qui Se révèle très clairement quand Il est voilé dans l'obscurité d'une nuit en forêt.

À la recherche du bonheur

Un été que je voguais sur l'Atlantique à bord du *Queen Elisabeth II*, j'eus la chance de lire attentivement ma Bible et d'en souligner mes passages favoris.

Dans l'Ecclésiaste, je lus ce passage où Salomon, souverain sage et riche, avait tout essayé sous le soleil pour découvrir ce qui pourrait le satisfaire et le rendre heureux. On considérait Salomon comme l'homme le plus sage de son temps. Nous pourrions peut-être nous aussi apprendre des vérités fondamentales si à l'avenir nous écoutions ce grand homme sage. Salomon fait part de son expérience quotidienne d'une vie réussie. Notre but, c'est d'être de plus en plus heureux et d'apprendre une vie bien remplie. Nous pourrions même diminuer le lot de nos souffrances.

AUCUN HOMME N'A RECHERCHÉ LE BONHEUR AVEC AUTANT D'INGÉNIOSITÉ ET DE TÉNACITÉ QUE SALOMON. Il essaya toutes ces voies qui promettent le bonheur et il les trouva décevantes. Dans son livre, l'Ecclésiaste, on lit :

« J'ai fait grand. Je me suis bâti des palais, je me suis planté des vignes, je me suis fait des jardins et des vergers et j'y ai planté tous les arbres fruitiers. Je me suis

157

fait des citernes pour arroser de leur eau les jeunes arbres de mes plantations. J'ai acquis des serviteurs et des servantes ; j'ai eu des gens et des troupeaux, des boeufs et des brebis en abondance, plus que quiconque avant moi à Jérusalem. Je me suis amassé aussi de l'argent et de l'or, le trésor des rois et des provinces ; je me suis procuré chanteurs et chanteuses et tout le luxe des hommes coffret par coffret. Et j'ai continué à m'élever plus que tous avant moi à Jérusalem, et ma sagesse m'est restée. Je n'ai rien refusé à mes yeux de ce qu'ils désiraient, je n'ai privé mon coeur d'aucune joie, car je me réjouissais de tout mon travail et cela fut mon sort dans toute mon oeuvre. Et je réfléchis sur toutes les actions de mes mains et sur toute la peine que j'y ai prise : Ah ! tout est vanité et poursuite de vent, et il n'y a pas d'intérêt sous le soleil !» (Qo 2:4-11)

À la fin, il dit : «Vanité des vanités, tout est vanité», signifiant que TOUTES ces choses sont d'ici-bas, qu'elles passent et qu'elles sont futiles.

Quand Salomon eut exploré plusieurs avenues du bonheur, il dit : «Fin du discours... Crains Dieu et observe ses commandements, car c'est là le devoir de tout homme.» (Qo 12:13)

Ce n'est que sur le plan spirituel que l'on trouve finalement le bonheur. Quoique ici-bas on trouve joie et bonheur, ce n'est que sur le plan spirituel qu'on y trouve le plus grand bonheur. La raison en est fort simple : Nous sommes tous davantage des esprits que des corps physiques. Nous avons été créés à l'image de Dieu et en chacun de nous il y a une âme vivante destinée à une vie éternelle. Ceci étant vrai, ce n'est que dans la mesure où nous sommes vraiment unis à Dieu que nous pouvons être vraiment et constamment heureux.

G.K. Chersterton résuma le tout comme suit : « La joie, c'est le secret par excellence du chrétien. » Faites-vous-en une manière de vivre ; c'est dans la joie que vous goûterez le bonheur en vous-même.

La plupart des gens pensent que le bonheur est quelque chose qu'on peut fabriquer. Ils ne se rendent pas compte qu'on ne peut pas plus le fabriquer qu'on peut fabriquer du blé ou du maïs. Il doit croître et la récolte sera en fonction de la semence. Nous aurons besoin de tous les instants vécus durant notre temps de probation ici-bas pour penser aux belles choses de la vie, aux choses aimables, vraies, honnêtes, justes et pures.

La croissance

Parce qu'une chose vous a déjà aidé, il n'est pas garanti qu'elle vous aidera de nouveau. Croissance signifie PROGRÈS et DÉVELOPPEMENT. Le progrès et le développement signifient CHANGEMENT. La nourriture pour bébés ne sustenterait pas un homme en pleine vigueur. Un changement de diète exige une PÉRIODE D'ADAPTATION et la capacité de s'adapter est le signe d'une croissance normale et saine. Suivant cette règle, vous pourriez prendre vos mesures et vérifier si vous trépignez sur place ou si vous progressez.

Rappelez-vous aussi que *la croissance est toujours un processus douloureux*. Il vous faut vous faire bousculer, vous faire donner des coups de pied au derrière, vous faire pousser et souvent, il faut se servir de la force pour vous faire quitter votre vieille routine. Celui qui peut vous inciter à acquérir de nouvelles façons d'agir, de penser et d'étudier est votre plus grand bienfaiteur.

Charles R. Gow écrivait : « Qu'est-ce que la vie dans tout cela ? Développement... croissance. Les deux grandes lois de la vie sont la croissance et la détérioration. Quand les choses cessent de croître, elles commencent à mourir. C'est vrai des hommes, des affaires ou des nations. »

Il est aussi vrai que la personne avec qui vous êtes en total désaccord est celle qui peut vous faire le plus grand bien. Elle vous fait RÉFLÉCHIR et réfléchir, c'est ce dont beaucoup d'entre nous ont le plus besoin... et c'est ce qu'ils font le moins.

Nous faisons souvent l'erreur de croire qu'un flot de paroles équivaut à une pensée profonde. Parler simplement de quelque chose n'est pas une preuve que vous y avez réfléchi ; c'est même souvent la preuve du CONTRAIRE. *Vivre vraiment* signifie RÉFLÉCHIR, OBSERVER, APPRENDRE. La vraie vie voit la différence entre DIRE LA VÉRITÉ et PARLER POUR NE RIEN DIRE ; elle reconnaît que la QUALITÉ DE LA VIE EST PLUS IMPORTANTE QUE LA VIE ELLE-MÊME.

Credo

J'AIME ET JE CROIS EN...

La NATURE dans tous ses aspects et dans tous ses caprices, et j'ai un profond respect pour l'homme qui cherche à travailler avec Dieu pour le plus grand bien de l'humanité :

Les endroits de silence où l'on entend les murmures de la forêt et où le ruisseau qui se hâte réfléchit les ombres...

Les arbres majestueux qui se tiennent en adoration silencieuse, comme des moines en prière...

La vivante amitié des fleurs et des bosquets et la compagnie de l'herbe et des fougères...

Les nuages qui voguent dans un ciel turquoise comme des voiliers de rêves qu'on met à la mer...

Les petits sentiers qui errent çà et là : On les dirait à la recherche de rendez-vous...

Le bruissement des feuilles d'automne et le bruit de la noix qui tombe...

Les gelées précoces et les branches dénudées et rigides parce qu'elles me parlent de printemps et de résurrection...

Les mélodies de l'oisillon qui chante pour la première fois quand l'aurore surgit de l'orient comme une immense vague grise...

La verge d'or qui semble tenir des torches enflammées pour éclairer les pas de l'été qui bat en retraite...

J'AIME ET JE CROIS EN toutes ces choses parce qu'elles me viennent du Donateur « de tout don excellent, de toute donation parfaite ». (Jc 1:17) Et par-dessus tout, je crois en Dieu et je L'aime parce qu'Il m'aime tellement.

Entretenez des pensées de bonheur et de noblesse

Les pensées de l'homme déterminent ce qu'il DIRA et ce qu'il FERA. On ne peut pas se permettre d'entretenir des pensées mauvaises, des pensées négatives. On devient ce à quoi on ne cesse de penser. Voilà une loi naturelle aussi réelle que la loi de la gravité.

Paul connaissait très bien l'esprit humain ainsi que son caractère. Il disait : « Enfin, frères, tout ce qu'il y a de vrai, de noble, de juste, de pur, d'aimable, d'honorable, tout ce qu'il peut y avoir de bon dans la vertu et la louange humaines, voilà ce qui doit vous préoccuper. » (Ph 4:8)

F.G. Burroughs dit ce qu'il pense de la pensée de Paul :

Entretenez des pensées nobles si c'est votre désir d'être noble ;
Des pensées pures édifieront un coeur pur ;
De bonnes pensées vous rendront bon,
Des pensées joyeuses vous rendront gai, car votre vie sera toujours l'expression réelle de vos pensées.
Tout ce qui est vrai, noble et juste,
Voilà ce qui doit vous préoccupez,
Voilà ce à quoi vous devez ressembler.

Entretenez des pensées de rapports cordiaux,
d'amour, de pureté
Et votre esprit en goûtera le nectar.
Pensez beaucoup au Seigneur et vous serez comme
Lui.
Ayez des paroles de foi, d'espérance et de charité.
N'abusez pas à la légère de l'image du Seigneur
Et de son temple, respectez-en la sainteté.

Savoir exercer une maîtrise sur ses pensées permet
d'éliminer un tas de malheurs dans la vie. Il nous est
donné de choisir et d'exercer notre libre arbitre. Nous
pouvons choisir nos pensées. Cultivons l'habitude de la
joie. *Un coeur joyeux vaut mieux qu'un médicament.*

Nous ne pouvons pas assister à un lever de soleil en
regardant vers l'occident ; nous ne pouvons pas non plus
vivre la belle vie que nous sommes censés vivre si nous
entretenons des pensées négatives. La remarque classique
que faisait Salomon dans sa sagesse est d'une profonde
vérité : « Le calcul qu'il (l'homme) fait en lui-même c'est
lui. » (Pr 23:7)

Wilfrid A. Peterson écrit : « Presque tous les troubles
en ce monde proviennent de ce que les gens pensent, disent et écrivent. Des paroles de colère, de malice, de haine, de ressentiment et de jalousie sont comme des agres-
sions physiques et portent les gens à se défendre en retour. Des paroles arrogantes et exigeantes engendrent une
résistance opiniâtre. En retour, il s'ensuit des attitudes
d'esprit qui sont ressenties par les autres même si on ne
les traduit pas en paroles. En effet, la puissance télépathi-
que de la pensée n'est désormais plus considérée comme
une simple théorie. Les pensées sont des choses. »

Ne vous laissez jamais, au grand jamais, aller à un état de négativisme d'esprit ; ne permettez jamais à un ami de vous amener à être d'accord avec lui sur quoi que ce soit de négatif. Ne jouez pas avec le feu. Dès que vous acceptez des pensées négatives, elles vous ont déjà affaibli. C'est une loi que l'expérience a prouvée mille et une fois dans les faits. Ne perdez jamais cette attitude positive, l'esprit positif que vous possédez. UNE APPROCHE POSITIVE DES FAITS DANS LA VIE EST UN POINT FONDAMENTAL POUR VIVRE HEUREUX, POUR VIVRE DE FAÇON DYNAMIQUE, POUR RÉUSSIR. LA GRANDEUR DE L'HOMME REPOSE SUR LA PUISSANCE DE SA PENSÉE.

L'amour est le bonheur suprême

AIMER ET ÊTRE AIMÉ, VOILÀ LE PLUS GRAND BONHEUR DE L'EXISTENCE.

Le précepte d'amour est une des lois naturelles de la vie, la plus grande et la plus profonde de toutes. Ce précepte emplit de douceur et de compassion le coeur de celui qui le recherche. C'est le thème central des lois de la vie, car l'amour est le ciment qui réunit les hommes.

Par amour, nous entendons l'amour de la vie, l'amour de Dieu, l'amour du prochain, du travail, de la beauté, des connaissances nouvelles, de la nature, des animaux. Mais il y a deux types d'amour : « agape », qui est l'amour constructif, et « éros », qui est l'amour égoïste, celui qui détruit. L'un est constructif, l'autre destructif.

Comment pratiquer l'amour ? En usant de douceur, de respect, d'oubli de soi, d'attention, de patience et de confiance. Chacun de nous est né avec une capacité d'aimer qui prend des formes diverses. Ce peut être l'amour de la famille, l'amour pour le foyer, l'amour pour les amis ; l'amour pour son pays, ses biens, le pouvoir, la renommée ou l'amour divin. Il n'y a pas de limites au nombre de marques visibles de l'amour. L'amour, c'est une petite fille qui enveloppe un chiot de son châle, une mère qui borde un enfant dans son lit, un choeur chantant l'alleluia, un rayon de lumière qui passe à travers un vitrail, une gorge nouée lorsqu'on hisse un drapeau. L'amour est la lumière et le soleil de la vie.

Alexis Carrell disait : « L'unique grande force au monde, c'est l'amour. » L'amour fera disparaître toutes vos rides. Il mettra un nouvel esprit dans votre corps, il fera briller vos yeux d'un éclat nouveau.

Vincent Van Gogh écrivait : « La différence entre une personne amoureuse et celle qui ne l'est pas est la même que celle entre une lampe éteinte et une qui brûle. La lampe était là, c'était une bonne lampe, mais à présent, elle éclaire et c'est là sa fonction réelle. » En cette vie, nous possédons trois qualités durables : foi, espérance et AMOUR. Mais la plus grande des trois, c'est l'amour.

Nous sommes ainsi faits que nous ne pouvons pas être entièrement satisfaits de nous ou des autres à moins que quelqu'un que nous aimons soit satisfait de nous. Même si nous sommes seuls, nous gardons notre joie dans l'espoir de la partager par la suite avec ceux que nous aimons. L'amour dure toute la vie et s'adapte à tous les âges et à toutes les circonstances : C'est l'amour de l'enfant pour ses père et mère, c'est l'amour de l'homme mûr pour son épouse et avec le temps pour ses enfants et, toute la vie durant, c'est l'amour pour ses frères et soeurs, ses parents et ses amis. L'AMOUR PEUT EXISTER MÊME SI PERSONNE N'Y RÉPOND.

« Quand je parlerais les langues des hommes et des anges, si je n'ai pas la charité, je ne suis plus qu'airain qui sonne ou cymbale qui retentit. Quand j'aurais le don de prophétie et que je connaîtrais tous les mystères et toute la science, quand j'aurais la plénitude de la foi, une foi à transporter les montagnes, si je n'ai pas l'AMOUR, je ne suis rien.» (1 Co 13:1-2) L'amour et la vie sont les deux plus merveilleuses choses au monde. Aimez les deux de toutes vos forces.

Victor Hugo écrivait : «Le bonheur suprême dans la vie, c'est d'avoir la conviction d'être aimé.» L'amour est à la vie ce que le soleil est aux plantes et aux fleurs. L'amour est plus précieux que l'or.

La cause de l'échec de l'homme à bâtir un monde heureux dans lequel on se partagerait les dons de Dieu et dans lequel l'homme vivrait heureux avec l'homme, cette cause est dans le coeur de l'homme lui-même.

Le silence favorise le bonheur

Aucune explication, si claire soit elle, ne vaut le silence. Les explications expliquent rarement. Ceux qui réclament des explications ont d'ordinaire leur opinion toute faite avant que vous ne commenciez à expliquer. Si vous avez raison, VOTRE VIE SERVIRA D'EXPLICATION À SA MANIÈRE; SI VOUS AVEZ TORT, VOUS N'ÊTES PAS CAPABLE D'EXPLIQUER. Donc, continuez de vivre calmement, oubliez tout, si ce n'est de voir à bien vivre, et laissez le temps arranger les choses.

Plus je vieillis, plus je comprends la valeur du silence. Parfois, c'est en cédant que vous êtes vainqueur et c'est en gardant le silence que vous en dites davantage. Il se peut qu'il faille parfois parler, mais c'est tellement difficile de savoir quand parler et quoi dire.

Shakespeare nous disait : « Les meilleurs hommes sont ceux qui parlent peu. » Nous sommes bombardés de mots à coeur de jour. Les mots affectent nos sentiments qui en retour affectent la chimie de notre corps. Si tout va bien, GARDEZ LE SILENCE.

Pythagore disait : « Garde le silence ou que tes paroles aient plus de valeur que ton silence. » La meilleure réplique est souvent le silence. On ne rapporte jamais devant les tribunaux les propos d'un homme silencieux.

Benjamin Franklin a dit : « Parmi les vertus que j'ai décidé de cultiver, j'accorde la deuxième place au silence, car je considère que dans la conversation on acquiert davantage de connaissances par l'ouïe que par la langue. »

Le général De Gaulle donnait ce conseil : «Rien ne rehausse davantage l'autorité que le silence. C'est la vertu qui couronne tout chez les forts, c'est le refuge des fiables, c'est la modestie de l'orgueilleux, c'est l'orgueil de l'humble, c'est la prudence du sage et le bon sens des fous. Parler, c'est diluer ses pensées, c'est mettre à nu ses sentiments ; bref, c'est disperser ses énergies au moment où telle action exige de la concentration. Le silence est un préalable nécessaire pour mettre de l'ordre dans ses pensées.»

Le problème, c'est que ceux qui parlent le plus n'ont rien à dire et que ceux qui ont quelque chose à dire le disent souvent mal à propos. Il n'est pas surprenant que Salomon ait écrit : «Des pommes d'or avec des ciselures d'argent, telle est une parole dite à propos.» (Pr 25:11)

«J'ai souvent regretté d'avoir parlé, jamais de m'être tu», a dit Cyrus. Heureux aussi celui qui s'impose tous les jours la pratique du silence dans son coeur afin d'entendre le Seigneur lui parler.

QUALIFICATIONS POUR RÉUSSIR ET ÊTRE HEUREUX

1° Ayez D'ABORD un grand panier à rebuts. Vous devez savoir quoi JETER.

2° Il est important de savoir quoi CONSERVER.

3° C'est important de savoir quand dire NON. Pour être capable de dire NON, donnez-vous la capacité de dire OUI.

4° N'acceptez pas une RESPONSABILITÉ uniquement parce qu'on pense que vous devez le faire. Apprenez à dire NON : Soyez poli mais ferme.

Les différences chez les gens

Les gens sont des entités individuelles et chacune a des qualités uniques. Aujourd'hui, les gens, les organisations, les écoles, etc., tentent de couler tout le monde dans le même moule. Cette situation rend beaucoup de gens malheureux et c'est ainsi qu'ils perdent leur individualité et leurs caractéristiques innées.

LA SITUATION IDÉALE EST DE PERMETTRE À CHAQUE INDIVIDU DE FAIRE VALOIR LES TALENTS QUE DIEU LUI A DONNÉS, MAIS EN HARMONIE AVEC LES AUTRES. Ceci ne s'applique pas seulement aux individus, mais aux familles, aux organisations, voire aux nations. Chacun a quelque chose à apporter. Les différences sont certainement cause de dissensions, mais ne peuvent-elles pas aussi, en soi, assurer un ensemble plus riche, plus cohérent? JE NE CROIS PAS À L'UNIFORMITÉ.

Vous obtenez le maximum de rendement en mettant à contribution les différences essentielles entre les gens, différences qui apportent leur quote-part pour obtenir des résultats et atteindre des objectifs de beaucoup supérieurs. L'un pourra apporter de bonnes idées, l'autre suggérer des innovations; les uns ont des aptitudes pour la diplomatie, les autres ont le sens pratique des affaires; les uns seront amicaux, chaleureux, les autres auront une excellente vue d'ensemble de l'avenir ; un autre enfin saura décider si le pont devrait être construit et si oui, où et quand. Toutes ces différentes qualités aident à former un tout plus diversifié et qui satisfait davantage. Les intérêts des gens ne se rejoignent pas toujours, MAIS ILS DOIVENT VIVRE EN HARMONIE, même s'ils ne pensent pas tous de la même manière.

Les différences concourent à créer un tout diversifié et plus satisfaisant. Même les pays et les nations ont des cultures, des opinions différentes : leurs caractéristiques nationales, leur capacité, leurs compétences diffèrent aussi. Les Anglais sont célèbres pour leurs sens de l'innovation, les Français pour leur diplomatie, les Hollandais pour leur pragmatisme, les Italiens pour leur chaleur et les Allemands pour leur discipline.

Le gouvernement et les écoles cherchent tous à niveler les gens, à les fondre dans le même moule, à faire de chacun une réplique exacte de l'autre, à en faire des perroquets, des échos, mais c'est mauvais. Les gens sont différents, ils ont des talents, des capacités, des compétences différentes. L'organisation qui atteindra les meilleurs résultats est celle qui aura les meilleurs gens pour travailler en harmonie, à l'unisson, comme dans un grand orchestre symphonique. *Des gens talentueux qui travaillent ensemble en harmonie, c'est la combinaison imbattable pour la réussite de chaque individu, entreprise ou nation.*

Notre société moderne souffre de conformisme. Les gens ont peur d'être différents. On reconnaît facilement les avantages à être différent. Les critères de base pour l'embauche des individus sont leur performance au-dessus de la moyenne : Ils sont donc différents. Personne n'est meilleur que vous, mais vous n'êtes pas meilleur qu'un autre tant que vous n'avez pas fait vos preuves.

Herbert Hoover écrivait : « Des points de vue différents et des discussions honnêtes ne sont pas des preuves de désunion. Ils sont la base du processus vital des hommes libres pour adopter une ligne de conduite. » Les décisions des hommes, leurs opinions, leurs ambitions, leurs goûts, leurs amours s'expriment de mille et une manières ; chaque personne a une histoire différente, une constitution, une culture, un caractère différents de tous les autres.

L'HARMONIE, voilà le mot de passe. Le COMPROMIS est une manière de vivre. On n'est jamais complètement d'accord, c'est une utopie. Il faut apprendre à VIVRE EN HARMONIE avec les DIFFÉRENCES qui nous unissent. Si nous voulons continuer d'être heureux, nous devrions éviter de juger durement les autres. TRAVAILLONS DONC TOUS ENSEMBLE ET SOYONS HEUREUX !

La pondération

Recherchez tous les bons moyens de vivre encore possibles. Donnez à cinquante femmes les mêmes ingrédients pour faire un gâteau et les gâteaux auront tous des goûts différents. Quest-ce qui fait la différence ? Tout est dans la manière de faire les mélanges.

La qualité de vie chez les gens diffère à cause des tempéraments divers. Et quand je parle de tempéraments divers, je veux parler, comme on l'entend ordinairement, des tempéraments dus aux attributs d'une personne, à ses pensées, à ses attitudes, son héridité, ses croyances, ses valeurs, ses idéaux, sa philosophie, ses qualités, son équilibre. Chez les gens, il y a un mélange de tempéraments, une variété de traits de caractère.

Selon le dictionnaire, la BALANCE est *un équilibre parfait entre ses deux plateaux.* Les deux mots importants de la définition sont ÉQUILIBRE et PARFAIT. Les plateaux d'une balance sont facilement déséquilibrés.

Il en va de même pour le caractère qui est, lui aussi, facilement déséquilibré. Quelqu'un peut vous dire exactement comment tout ou presque doit être fait alors que lui ne fait jamais rien. Déséquilibre.

Des philosophes, de la Grèce antique à Bouddha, Balzac, Pascal et Pitkin, ont vanté la vie équilibrée comme la plus heureuse; beaucoup de gens malheureux, face aux résultats dans leur vie, peuvent faire remonter leur mécontentement au déséquilibre.

Certains oublient qu'être honnête, c'est plus que payer ses dettes. Si on vous doit de l'argent, on vous le rendra, mais il n'arrive jamais à ces gens de penser que la dette de gratitude ou d'appréciation est aussi contraignante. Déséquilibre.

Les uns semblent convaincus que la raison pour laquelle ils ne peuvent s'entendre avec les autres, c'est qu'ils sont tout à fait incompris de tous. La vraie raison, c'est qu'ils sont eux-mêmes déséquilibrés.

D'autres oublient de se changer eux-mêmes quand ils changent leur milieu. Ce n'est pas avec le milieu qu'ils ont des problèmes, mais avec leur propre *caractère tendancieux*. Déséquilibre.

D'autres encore ont depuis si longtemps envisagé un unique point de vue qu'ils ont fini par se convaincre qu'il n'en n'existe pas d'autres. Conséquence: Ils sont déséquilibrés. PRENONS L'HABITUDE D'APPORTER LES CORRECTIONS NÉCESSAIRES. Qu'est-ce à dire? Laisser trop longtemps les plateaux d'une balance en déséquilibre pourra à la longue les détériorer.

On veut toujours faire davantage. On a besoin de pondération, ni trop ni trop peu. La moitié des choses que nous faisons proviennent de nos désirs égotistes. LA MODÉRATION EST L'UN DES PLUS IMPORTANTS MOTS DU DICTIONNAIRE.

C'est votre responsabilité de demeurer en BONNE SANTÉ, de vivre longtemps, de ne pas vous épuiser à toujours essayer l'impossible. Confinez-vous à ce que vous savez le mieux faire. « Cordonnier, confine-toi à ton métier » ; voilà une grande vérité et un bon conseil.

Une foule de gens riches meurent pauvres. À cause de leur avidité, ils perdent leur argent qu'ils avaient gagné durement la plupart du temps. *Souventes fois, l'enthousiasme endormira le jugement.* Nous savons, en présence d'un homme ou d'une femme, s'ils sont bien équilibrés. Une telle personne nous communique son influence déterminante. Sa personnalité nous communique un sens de l'équilibre, de la maîtrise de soi, de la compréhension, de la tranquillité. Elle crée une atmosphère de confiance. Sa présence dénote de la force et vous aide à FAIRE UN BOUT DE CHEMIN.

La prière
apporte de la joie

La PRIÈRE est la clef qui ouvre la porte aux miracles dans votre vie.

La PRIÈRE est une ATTITUDE. Une attitude qui doit exprimer ce qui est dit en Matthieu 6:32 : « Or votre Père céleste sait que vous avez besoin de tout cela. »

La PRIÈRE est une RELATION, une relation intime avec Dieu. Dieu est votre source, votre lumière, et Il est le pouvoir suprême de l'univers. C'est en Dieu « que nous avons la vie, le mouvement et l'être. » (Ac 17:28)

La PRIÈRE doit être affermie par le DÉSIR, par mon désir de ce qu'il y a de mieux au monde, par mon désir de Dieu lui-même. Le degré de votre ATTITUDE, ajouté à celui de votre RELATION avec Dieu et à celui de votre DÉSIR, voilà le pouvoir qui peut changer votre vie. Les miracles peuvent se produire si vous les faites se produire.

Le RÉSULTAT de votre prière dépend de la CROYANCE que votre coeur manifeste. La prière est la clef pour réussir dans la vie. À travers la prière, je découvre Dieu et Dieu me découvre. LA PRIÈRE EST L'UNION À CETTE FORCE QUI NOUS FAIT VIVRE. La prière est le lien entre l'individu et le Grand Esprit.

C'est l'âme humaine à la recherche de son union à Dieu. Les hommes ne peuvent aspirer à une véritable vie sans elle. Dieu demeure dans mon âme. « Le Royaume de Dieu est au milieu de vous. » (Lc 17:21) Dieu est mon meilleur ami.

Je ne connais pas beaucoup de grands hommes dans l'Histoire qui ne furent pas des hommes de prière. L'homme est aussi inséparablement uni à la prière qu'il l'est à la respiration. Derrière le mystère de la prière, il y a un Esprit supérieur qui a donné toutes les instructions nécessaires pour son usage.

La loyauté :
un élément du bonheur

LA LOYAUTÉ EST CHOSE RARE ; C'EST UNI-
QUEMENT À L'ÉPREUVE QU'ON LA RECONNAÎT.

Si les vertus pouvaient s'évaluer, la LOYAUTÉ serait
presque en tête de liste. Elle est sans prix et chose rare.
Elle crée un climat de paix et d'assurance dans le coeur
d'un leader et garantit le succès de n'importe quelle
entreprise.

Toutes proportions gardées, un leader, s'il est
LOYAL, ne peut avoir l'idée de flancher. La loyauté,
c'est le soleil qui réchauffe ses jours très sombres et c'est
la force de sa vie.

Aucun leader, quels que soient sa grandeur d'âme, sa
bonté ou les dons reçus, ne peut accomplir la tâche qui
lui est assignée sans la loyauté, la coopération et le dé-
vouement poussé jusqu'au sacrifice de ses associés. C'est
avec le summum de nos talents qu'il faut travailler ensemble.

La LOYAUTÉ est donc un des facteurs qui contribuent le plus à la croissance et à la prospérité de tout travail valable. Dans une organisation, rien ne compte plus
que la loyauté des gens à son service.

Abraham Lincoln disait : « Je ne suis pas tenu de vaincre, mais je suis tenu d'être vrai. Je ne suis pas tenu de réussir, mais je suis tenu de vivre selon la lumière que je possède. Je dois me tenir debout avec quiconque se tient debout ; je dois le soutenir quand il a raison et me séparer de lui quand il dévie de la vérité. »

L'HOMME QUI RÉUSSIT EST LOYAL !

Comment se connaître soi-même

Il y a quelques jours, un émiment homme d'affaires me demandait : « Comment faire pour se connaître ? » Cette question me prit par surprise, mais elle n'aurait pas dû. Il y a deux mille ans, Socrate disait : « Ô homme, connais-toi toi-même. » C'est une des plus importantes exhortations faites à l'homme. Très simple en apparence, mais quelle profondeur. Très peu d'hommes se connaissent mais tous aspirent dans leur coeur à une vie meilleure.

Je répondis que c'est par la connaissance et l'usage des lois de sa propre nature que l'homme se connaît. C'est la vérité qui détermine la qualité de la vie. Les quarante-sept lois de la nature humaine constituent l'essence de mon récent livre : *Comment réussir sa vie*. Connaître ces principes et en faire un usage approprié, voilà le secret d'une noble existence.

L'homme est une créature à trois dimensions. Pour que l'homme se développe dans sa totalité, il lui faut voir au développement adéquat de chacune des trois dimensions divines, celle du corps (physique), celle de l'esprit (mentale) et celle de l'âme (spirituelle).

La tâche de toute personne est son développement continu sur les plans physique, mental et spirituel durant toute la durée de sa vie. En outre, elle doit se rendre compte qu'elle n'a qu'un temps limité pour faire ce travail. Chaque être pensant devrait d'abord savoir qui il est, quelle est sa vraie nature, pourquoi il est ici et où il va. Aujourd'hui, l'homme moyen connaît davantage ce qui concerne son automobile que ce qui le concerne lui-même. NOUS AVONS PERDU LE VRAI SENS DE NOTRE NATURE ET DE SES TROIS DIMENSIONS.

Quand vous prenez conscience de votre nature, un dieu de plein droit, et des merveilles de votre constitution, vous ne faites pas qu'exister, VOUS VIVEZ. Vous vous connaissez quand vous vous rendez compte : 1) que personne ne peut vous blesser, si ce n'est vous-même ; 2) que vos pensées vous bâtissent ou vous démolissent ; 3) que tout est fonction de votre attitude et non de votre environnement ; 4) que vous devez être utile, sous peine de vous détériorer. Ce ne sont là que quelques-unes des réponses que vous posséderez si vous vous connaissez. Rappelez-vous l'avertissement de Socrate : « Ô homme, connais-toi toi-même. » Commencez par connaître vos qualités pour les développer et vos défauts pour en réduire le nombre. Sénèque, philosophe latin et tuteur de Néron, écrivait : « Aussi longtemps que durera votre vie, ne cessez pas d'apprendre à vivre. »

Notre monde actuel est rempli de problèmes sociaux, économiques, politiques, raciaux et religieux. Ces problèmes sont réels parce qu'ils sont les problèmes de chaque homme, multipliés à l'infini. DERRIÈRE TOUT CELA SE CACHE UNE ABSENCE TOTALE DE CONNAISSANCE ET DE COMPRÉHENSION DES LOIS SPIRITUELLES ET DES PRINCIPES QUI GOUVERNENT LE COEUR DES HOMMES.

Insistez pour demeurer un individu qui veut faire voir le monde que VOUS, entité unique, avez à offrir. En chacun de nous, nous avons de l'actif et du passif et si nous voulons améliorer la connaissance que nous avons de nous-mêmes, nous comprendrons quels sont nos actifs et nos passifs. Le bonheur et le succès ne sont pas uniquement l'effet du hasard ; ils sont le produit de notre intérieur. Le fil de nos activités quotidiennes, de nos pensées, de nos sentiments, de nos opinions, de nos actions et réactions sert à tisser notre bonheur et notre succès.

Les possibilités d'acquérir la richesse matérielle sont plus nombreuses aujourd'hui que jamais. Mais notre ardent désir d'accéder à la richesse nous fait oublier nos idéaux et nous porte à accorder trop d'importance aux biens matériels. Grâce au sens profond des valeurs que possède l'homme moyen, nous arrivons quand même à nous rendre compte qu'il y a d'autres choses plus importantes encore.

Quand je parle à des diplômés de l'université, je suis surpris et stupéfait devant le petit nombre de ceux qui connaissent les lois de leur propre nature. CES LOIS SONT RADICALEMENT LA CAUSE DE TOUT CE QUI LEUR ARRIVE, DE BON OU DE MAUVAIS, DU SUCCÈS, DES RICHESSES, DE L'AMITIÉ, DU BONHEUR OU DES DÉSASTRES. *Donc, connaître à fond la nature de l'homme, c'est l'entreprise humaine la plus noble, c'est la plus grande sagesse, c'est l'unique sentier connu pour vivre pleinement.*

En ces jours qu'on qualifie de jours de lumière, très peu de gens savent et connaissent en profondeur les lois de la nature de l'homme, et cependant ces lois sont d'une suprême importance. Les éducateurs ont omis d'enseigner que chaque homme acquiert la véritable connaissance en polissant et disciplinant sa propre vie. Aujourd'hui, il y a même des étudiants qui menaçent leurs professeurs. Il y eut une époque où l'on enseignait la discipline en éducation. AVEC LA VRAIE CONNAISSANCE DES LOIS DE LA NATURE, VOUS AVEZ LES BASES DE TOUT VÉRITABLE SUCCÈS, VOUS AVEZ LA CLEF DU ROYAUME DE LA SAGESSE ET DE L'ART DE MIEUX VIVRE. Si l'éducation ne développe pas des qualités spirituelles, si elle ne rend pas l'individu doux et humble de coeur, elle peut devenir en elle-même une malédiction au lieu d'un bienfait. Sans développement spirituel, celui qui est éduqué exploitera toujours l'ignorant.

Le succès au sens le plus plein et le plus heureux du mot est fonction de la découverte de soi. Comment nous connaissons-nous vraiment, nous et nos capacités? L'homme le mieux informé est celui qui se «connaît lui-même». Rappelez-vous la fameuse phrase de Socrate: «Une vie superficielle ne vaut pas la peine d'être vécue.» Fais-toi une obligation de te connaître, ce qui est la chose la plus difficile à faire au monde.

La maturité, la compétence, la paix de l'esprit et le bonheur exigent beaucoup plus de valeurs diversifiées, de talents, de connaissances de la société que les degrés académiques. POUR CHACUN DE NOUS, FAIRE UN HOMME, C'EST L'ENTREPRISE LA PLUS NOBLE DE LA VIE.

À sa naissance, l'homme est loin de se connaître. Il lui faut beaucoup de temps pour ce faire et certains n'y arrivent jamais. L'homme a besoin de voir le terme vers lequel il se dirige (la vie éternelle). Le moment présent est si bref qu'il faut le fondre dans l'avenir. L'homme ne peut connaître la mesure de sa force que dans une vision qui origine de la suprême puissance de Dieu. Il doit voir ce qu'on ne voit pas et travailler dans le domaine de l'invisible (le spirituel)! Heureux l'homme qui apprend que le présent n'est là que pour défier l'avenir. Sa FOI dans le pouvoir divin et dans l'avenir lui aide à surmonter toutes les situations. VOILÀ LA MERVEILLEUSE IMAGE, L'IMAGE DE DEMAIN, LA VIE À SON MEILLEUR.

Beaucoup de gens ont perdu le sens de leur dimension divine. Tout le travail ministériel de Jésus-Christ fut de placer ses ouailles dans un bon climat spirituel. Ceci étant réalisé, tout le reste de la vie se suffira à elle-même, car *en vous connaissant vous-même* vous trouverez réponses aux principales questions qui se poseront dans votre vie.

La plus grande découverte qu'on puisse faire est de se découvrir vraiment et de développer la puissance latente qui existe au fond de soi. Découvrez la puissance de la pensée positive, la valeur de la gaieté et d'une attitude saine. Découvrez la force intérieure illimitée : L'homme a à peine effleuré le mystère de sa nature intime et la justification de son existence.

Nous vivons à une époque où un très grand nombre de gens s'affairent aux problèmes de l'homme extérieur alors que l'homme intérieur périt. Aujourd'hui, on tend à ignorer la nature intime de l'homme, son bien-être éternel, tout comme si l'homme n'avait pas d'esprit, pas de cerveau, pas d'âme.

L'ancien président Harry S. Truman écrivait: «Je crains que nous ne soyons vraiment trop pris par les choses matérielles pour nous souvenir que notre force réelle repose dans les valeurs spirituelles. Je doute qu'il y ait dans ce monde agité un seul problème qui ne pourrait être solutionné si on l'abordait dans l'esprit du Sermon sur la Montagne. »

Je me demande...

Si je vivrai un jour dans un monde :

Où chaque homme regardera l'autre dans les yeux et lui dira exactement ce qu'il veut dire.

Où les hommes mettront autant de soin à chercher leurs fautes personnelles qu'ils en mettent à chercher celles des autres.

Où les hommes se sentiront davantage responsables devant Dieu que devant les personnes ou les choses.

Où ceux à qui on a fait confiance et donné des responsabilités considéreront la confiance et la responsabilité comme quelque chose de sacré.

Où même les grands ne se sentiront pas trop grands seigneurs pour accomplir d'humbles tâches avec un soin tout particulier.

Où tous et chacun se mêleront de leurs affaires et donneront aux autres la même liberté qu'ils revendiquent pour eux-mêmes... Qu'ils aimeront voir les autres se réjouir de ce qu'eux n'aiment pas. Et envisageront le mieux alors qu'ils craignent le pire.

Est-ce que je vivrai un jour dans un tel monde ?

JE ME LE DEMANDE !

Prenez la clef des champs

Le professeur Blaikie d'Édimbourg répétait souvent à ses élèves : « Nous n'aurons jamais une ère nouvelle de littérature créatrice tant que les érudits ne deviendront pas des hommes de la nature. » Il disait sans cesse à ses élèves *de prendre leurs livres, d'aller flâner dans la nature et dans les grandes solitudes pour y marcher et réfléchir.*

Les villes ne sont PAS FAVORABLES AUX GRANDES PENSÉES. Elles ne produisent pas de grands hommes parce qu'elles en sont incapables. La vie à la campagne doit produire des grands hommes pour les envoyer ensuite faire un travail missionnaire dans les villes.

Lisez les biographies des grands hommes de tous les temps et soyez-en convaincu : Depuis Moïse jusqu'au Christ, les grands hommes ont toujours côtoyé le Seigneur dans la nature. À moins d'y avoir été obligé, Jésus n'est jamais entré dans une ville.

La montagne était son lieu de prière et sa chaire favorite était un champ. Les bêtes et les oiseaux, les lys et les herbes des champs, les rivières et les lacs, les semences et le sol, les nuages et les roches lui servaient de sujets et c'est à partir d'eux qu'il a bâti ses paraboles pour nous enseigner les vérités essentielles.

Vous êtes OBLIGÉ de vivre à la ville ? Très bien. Ayez une cour, un arbre où méditer et entrer en communion avec Celui qui seul peut faire un arbre. Les arbres me fascinent. Ils parlent un langage que je connais et comprends. Étendu à l'ombre, j'ai souvent prêté l'oreille à cette musique que font entendre les feuilles des arbres qui frissonnent. Écoutez et observez les moineaux et les oiseaux moqueurs, ils vous enseigneront le bonheur.

Vie simple, vie heureuse

Abraham Lincoln était un homme qui ne s'embarrassait pas de choses inutiles et allait rapidement et brièvement à l'essentiel. Vous n'avez pas besoin de savoir des milliers de choses ; sachez seulement ce qu'il faut. C'est le secret du fermier qui est sage. C'est le secret de quiconque est vraiment sage. Vous n'avez pas besoin de connaître des milliers de ces choses qu'on appelle bagatelles et qui travaillent toutes contre vous. Vous devez bien connaître certaines choses, qui constituent, à mon avis, la CONNAISSANCE ESSENTIELLE, c'est-à-dire la vérité indispensable. *On peut mourir et avoir très bien réussi dans la vie sans une foule de connaissances.*

C'est de la foutaise de prétendre qu'il y a dans le monde tout un tas de choses qu'on ne peut comprendre. Tout ce qui ne peut pas être compris n'existe pas. Et bien loin d'être compliquées c'est souvent parce qu'elles sont simples que vous les comprenez. Il y a des gens, incluant ceux du gouvernement, qui qualifieraient ce point de vue de simpliste parce qu'ils ont, eux, réponse à tout. En conséquence, ils vous mettront dans l'embarras avec des centaines de conclusions différentes.

Toute vérité est simple. Les principes qui régissent nos vies sont très simples. C'est l'homme qui complique sa propre vie. À partir du moment où tout semble de la haute philosophie, l'homme devient mêlé. Il est vrai qu'il y a beaucoup de mystères, mais cela ne veut pas dire qu'ils ne sont pas des vérités. « Nous avons perdu notre sens du loisir », dit un poète-philosophe contemporain. Jamais il n'y eut paroles plus vraies. Dans un état d'agitation fébrile, on s'empresse, jour après jour, semaine après semaine, non de vivre mais de brûler sa vie.

Henry Thoreau était un partisan de la vie simple et un observateur de la nature. Il résolut de tenter la grande expérience du retour à la nature et choisit Walden Pond comme un endroit approprié. Il pensait que l'homme devait retourner directement à la nature, en découvrir les chemins, y conformer sa vie... et goûter à la joie de vivre.

Grenville Kleiser écrivait : « Que vous ayez quatre-vingts ans ou dix-huit ans, que la simplicité gouverne votre vie. Utilisez ce que vous avez et jouissez-en. Soyez reconnaissant pour les faveurs et les occasions du présent. Le vrai bonheur ne dépend pas de l'abondance des richesses matérielles, mais provient en grande partie d'une attitude mentale de satisfaction, de confiance, de sérénité et de bienfaisance. La simplicité de la vie conduit toujours au bonheur. »

Thoreau donnait ce conseil : « Simplicité... Simplicité... Simplicité. Que vos affaires se limitent à deux ou trois, pas à cent ou à mille ; au lieu d'un million, comptez la demi-douzaine et que tous vos comptes tiennent sur l'ongle de votre pouce. »

Votre vie est ce que vous en faites. Elle peut être simple, si vous choisissez la simplicité comme objectif. Il vous faudra du courage pour vous débarrasser des mille et une entraves qui compliquent la vie, mais vous pouvez le faire.

Pourquoi ne pas utiliser le peu d'années que nous avons pour penser à faire quelque chose pour nous-mêmes au lieu de penser argent, possessions, dépendance ? Pourquoi ne pas essayer de dérouler le potentiel latent de notre nature et de le développer à pleine capacité ? Pourquoi faut-il que tout ce qui nous entoure croisse naturellement et que notre propre croissance soit si artificielle ?

Thoreau était profondément méfiant à l'endroit du progrès, tel que nous l'appelons. Il ne voyait dans le succès presque rien de valable si ce n'est des complications porteuses d'anxiété. Thoreau pensait qu'il fallait payer trop cher le prix des réalisations qui valent si peu en elles-mêmes.

« La vie n'est pas compliquée, c'est nous qui le sommes. La vie est simple et ce qui est simple est bon », écrivait Oscar Wilde.

De toute façon, on devrait avoir assez de liberté d'esprit pour ne pas être victime des COMPLICATIONS DE SES PROPRES AMBITIONS. Bref, que vaut l'ambition dans un monde où tout aboutit à la désillusion ? Quelques années de succès, voilà la récompense de l'homme ambitieux et déjà, c'est la mort ; alors ses succès comme ses insuccès tombent dans l'oubli.

Il est aussi évident que plusieurs de nos plus tragiques situations ont leur source dans cet entêtement désespéré de parvenir à la RICHESSE, à la RENOMMÉE, à un STATUT SOCIAL quel qu'il soit.

On a souvent dit que la simplicité était la marque de la véritable grandeur. LA SIMPLICITÉ EST LE SIGNE PARTICULIER DE LA DISTINCTION. Plus vous vivez simplement, plus votre avenir est assuré ; vous êtes moins à la merci des surprises et des revers. LA SIMPLICITÉ DE VIE CONDUIT TOUJOURS AU BONHEUR. Demandez-vous : Pourquoi ferais-je cela ? Est-ce nécessaire ? Les vrais sages sont toujours simples. Toutes les grandes choses sont simples. Parlez simplement et vous serez compris.

Albert Einstein écrivait : « Je crois que prendre la vie simplement est bon pour tous, bon pour le corps, bon pour l'âme. »

L'homme sage cherchera toujours à simplifier sa vie. Les plus grandes vérités sont les plus simples et les grands hommes le sont aussi. Nous devons nous mettre à l'abri de nos propres ambitions et désirs qui nous entraînent dans des situations sans issue. Il faut faire l'évaluation de nos biens et de nos activités et éliminer tout ce qui n'a pas valeur d'absolu. Il y a beaucoup de choses qu'on peut simplifier, si on le désire vraiment. *Faites l'inventaire de votre vie pour voir ce qui s'est passé. L'homme doit se réveiller et se rendre compte que dans la vie, il y a plus que des progrès scientifiques, plus que la détérioration des éléments naturels pour constituer une existence heureuse.*

Nous poursuivons tous la réalisation de nos désirs intérieurs désordonnés et quand ceux-ci se réalisent, nous ne sommes pas heureux. Plus nous faisons des progrès, plus nous sommes malheureux et plus nos avantages sont grands, plus nos responsabilités sont lourdes. La personne en tant que créature naturelle qui vit dans un monde naturel n'a presque pas de chances d'exister. Elle s'est entourée d'une atmosphère artificielle, elle s'est bâti une société pour elle-même, elle a bien délimité les pouvoirs de son être et elle prétend que ce qui est normal, c'est d'être d'accord avec les attitudes de tout le monde, dont la plupart peuvent être mauvaises.

LE SUCCÈS

LE PROFIT sans RISQUE, L'EXPÉRIENCE sans DANGER, la RÉCOMPENSE sans EFFORTS sont des choses aussi IMPOSSIBLES QUE DE VIVRE SANS NAÎTRE.

ALFRED ARMAND MONTAPERT
Personal planning manual

Investir aujourd'hui,
récolter demain

Les États-Unis sont condamnés à l'envahissement. Une armée se déploiera de long en large de ce grand pays. Ses soldats envahiront la Maison-Blanche et y installeront leur propre président. Ils éliront leur propre Congrès et mettront en place leur propre système judiciaire. Ils réquisitionneront toutes nos ressources. Ils prendront la relève dans nos églises et prêcheront ce qu'ils voudront. Ils s'approprieront nos écoles et y enseigneront ce qu'ils voudront.

La vaste armée est en marche : C'est notre JEUNESSE ! Ils sont nés dans nos foyers, éduqués dans nos écoles et c'est dans nos églises qu'ils acquièrent leur conception de Dieu et des valeurs spirituelles. Ce qu'ils seront quand ils prendront la relève dépend de nous. Nous sommes la cause de la délinquance que nous décrions si fortement.

C'est Goethe qui disait : « L'avenir de toute nation est déterminée par les opinions des jeunes qui n'ont pas vingt-cinq ans. » Et ce sont les mères, bonnes ou mauvaises, qui façonnent en très grande partie ces opinions.

On peut rarement surestimer l'influence de bonnes mères sur notre vie nationale. LE FOYER EST NOTRE

PLUS GRANDE INSTITUTION. Nos bibliothèques sont remplies d'histoires de guerre, de commerce, de littérature, de finance, mais chose étrange, on n'a jamais vu un écrivain capable d'écrire une histoire du foyer et de son influence sur la vie de la nation.

Si Fisk et Bryce ont rédigé l'histoire de nos lois et de nos institutions, il appartient à des étudiants sérieux de retracer l'origine de ces lois et institutions et de faire voir qu'elles sont le fruit de l'amour, de l'éducation et de la prudence de femmes remarquables par leur bonté et leur grandeur d'âme. *Si Dieu travaille dans l'ombre,* on est presque aussi assuré de retrouver dans les coulisses de l'Histoire une bonne maman qui a façonné, inspiré et dirigé un homme illustre qui s'est grandement dépensé pour la grandeur et la sécurité de l'État.

Napoléon disait un jour : « L'avenir de la France réside dans ses foyers. » Cette prédiction s'est avérée vraie avec le temps. La France est demeurée invincible jusqu'au jour où ses foyers ont commencé à se détériorer. Un historien romain déclare : « L'empire romain a commencé à décliner avec le déclin des foyers romains. »

Il n'y eut jamais de grand homme sans une digne mère. Si vous doutez de cet énoncé, essayez de trouver un grand homme ou une femme célèbre qui n'a pas reçu d'une mère magnanime l'aide et l'inspiration pour se bâtir une grandeur d'âme. Sur les genoux d'une mère, près du feu de l'âtre se posent les assises de la vie. Les grands hommes sont grands à cause de ces véritables et solides fondations sur lesquelles on a été capable de façonner un caractère.

Alors que certains revendiquent à tort et à travers, le besoin criant du moment, si nous devons survivre, est celui DE BONNES MÈRES QUI PRIENT, DE PÈRES QUI CRAIGNENT DIEU. Il est hors de doute qu'un homme élevé par une femme pieuse héritera d'un thème de vie élevé et deviendra l'expression d'un sentiment de valeur. Il héritera d'une haine de l'erreur et de l'injustice, de conviction pour défendre les justes causes et d'une patiente dévotion à des idéaux élevés. JUSQU'À SON DERNIER SOUFFLE, IL SERA DANS UN MILIEU QUE SEULE UNE BONNE MÈRE PEUT TRANSMETTRE À UN FILS OU UNE FILLE INTELLIGENT ET DÉVOUÉ et lorsque les ombres de la nuit se dresseront devant eux, ils remercieront Dieu d'avoir eu une bonne mère et d'avoir hérité des richesses de son coeur. À NOBLES PARENTS, NOBLES ENFANTS.

Le bonheur est un ruisseau

On trouve dans l'océan quelque chose d'indéfinissable qui répond à notre état d'âme et inspire le rêve. L'immense étendue d'eau agitée et l'éternel va et vient des vagues qui viennent se briser en un fracas de tonnerre sur des rives rocailleuses ressemblent à un choeur dont les basses profondes se mêlent à la musique mélancolique et envoûtante d'une âme méditative et résultent en une mélodie qui parle le langage d'autres mondes.

Mais donnez-moi plutôt un ruisseau, car l'océan est trop inaccessible. On est plus intime avec un ruisseau. Hier, je suis resté assis pendant plus d'une heure sur la berge de l'un d'eux tout imprégnée de paix et de mélodie. Comme un faisceau de rayons de soleil, il sortait d'un canyon ombragé et courait à la recherche de son chemin qui allait le mener à la vallée.

Il me fit rêver... Et dans mon rêve, je me posais des questions. Je me demandais d'où il venait. Je me demandais si beaucoup d'autres petits ruisseaux étaient sortis de leur cachette pour y joindre leurs eaux. Je me demandais où toutes ces eaux venues de partout iraient se mêler à d'autres eaux pour finalement entrer dans le concert de la vaste symphonie d'un orchestre plus puissant.

Alors, je me suis mis à songer à l'étrange ressemblance avec la vie. Son origine aussi est mystérieuse ; comme le petit ruisseau, elle commence son sinueux voyage en descendant le canyon des ans puis, tantôt dans des endroits ensoleillés, tantôt sous des ombres perfides, elle continue toujours de courir à la poursuite d'un objectif.

Si ma vie, comme le ruisseau, peut être une mélodie, peut procurer du plaisir aux autres et arroser des terres arides pour finalement se mêler à l'immense concert éternel du plan de Dieu, j'aurai rempli une mission exaltante.

La campagne est un endroit pour être heureux

Vous allez donc à la ville pour voir des spectacles ? Eh bien ! quand vous avez vu la ville, vous n'avez rien vu. Si vous voulez voir des spectacles, allez dans les montagnes où le printemps habille les arbres d'un nouveau complet vert tendre et transforme les couchers de soleil en or et cramoisi. Arrêtez-vous un instant et écoutez l'oiseau moqueur remplir la vallée d'une musique qui coule comme de l'argent en fusion et goûtez la brise sur votre figure.

Regardez le miracle des jonquilles en fleurs et respirez le parfum des lilas sauvages. Attendez que les montagnes projettent leurs silhouettes sur un ciel incandescent, semblable à des cendres qui fument encore, puis écoutez les doux murmures qui sourdent de partout. C'est là, mon ami, que Dieu Se fait voir, entendre et savourer.

Cowper a écrit : « Dieu a fait la campagne et l'homme a fait la ville. » La vie champêtre procure à l'homme une meilleure santé, lui donne une joie plus parfaite de lui-même que n'importe quel autre mode de vie. Amos B. Alcott disait : « J'estime qu'être né à la campagne et y avoir été élevé contribuent plus que tout à l'éducation. » La vie à la campagne enseigne à chacun que ce qui donne vraiment un regain d'énergie, c'est la vie calme près de la nature et que ce qui engendre vraiment l'ennui, c'est le tintamarre et l'artifice qui nous entourent. Un air frais et pur aide davantage la santé que la fumée de cigarettes. La lumière du soleil est plus bénéfique que celle de l'électricité. L'homme est dans son milieu naturel quand il vit à la campagne.

Il n'y a pas de meilleur critère pour évaluer sûrement un homme que le fait qu'il aime ou non la nature. *Cette époque révolue qui a engendré de grands hommes fut l'ère des fermes, des petits villages et des vastes panoramas de la campagne... Ce fut l'ère des arbres, des oiseaux, des ruisseaux, des rivières et des lacs.*

Le bonheur,
c'est une vie planifiée

Si l'architecte doit avoir des plans et l'ingénieur en construction des épures pour ériger un édifice, combien DAVANTAGE avons-nous besoin de PLANIFIER nos vies pour être heureux.

C'est une PRIORITÉ pour celui qui veut se bâtir une vie réussie d'avoir des plans pour les années à venir. *Se développer est la plus grande responsabilité qui a été donnée à chacun de nous.* C'est l'un des apanages par excellence de chacun d'acquérir le bonheur et de le faire grandir.

Un des moyens pour ce faire, c'est d'appliquer les principes d'une bonne planification. Planifiez et améliorez chacun des différents aspects de votre vie : vos finances, votre vie personnelle, vos affaires, votre santé physique et mentale, votre vie de famille, votre foyer, vos voyages, votre culture, votre vie sociale, votre spiritualité, votre retraite.

C'EST ABSOLUMENT NÉCESSAIRE de planifier pour réussir sa vie. Mettez sur papier tous les PLANS, tous les OBJECTIFS, tout ce que vous VOULEZ ATTEINDRE dans les cinq prochaines années. Continuez d'en ajouter d'autres. Pour que ce soit plus facile, partagez le travail en différentes étapes. Soyez souple dans votre planification. C'est dangereux d'établir ce que vous allez faire en tenant pour acquis que tout va continuer tel quel.

Dans la construction d'un édifice, les briques se posent une à une. De même, une peinture résulte de milliers de coups de pinceau. Des milliers de mots écrits les uns après les autres forment un livre. Ainsi le succès s'acquiert ÉTAPE PAR ÉTAPE, graduellement, et il n'y a pas d'autres façons de procéder.

La vie ressemble à un grand escalier: Il y a des gens qui montent, d'autres qui descendent. *La réussite de votre vie, que vous montiez ou que vous descendiez, dépendra des PLANS que vous esquissez.*

Beaucoup de gens passent plus de temps à planifier leurs vacances qu'à planifier leur vie. Quand vous décidez de faire un voyage, le premier geste que vous posez, c'est d'aller chercher une carte routière. Les plans que vous ébauchez sont en pratique des étapes pour vous aider à progresser dans votre travail, pour développer vos talents cachés, pour donner tout son sens à votre vie et en retirer des bienfaits. Vous maximisez ainsi vos propres chances de succès. Vivre heureux, c'est l'affaire de toute une vie.

Vous êtes vous-même l'architecte et l'artisan de votre propre BONHEUR, de votre VIE, de votre PROSPÉRITÉ, de votre DESTIN. Vous devez donner le meilleur de vous-même, le meilleur de vos pensées, le meilleur de vos actes AUJOURD'HUI, car aujourd'hui sera bientôt demain et demain, c'est pour toujours.

On peut résumer ce message en un mot: PLANI-
FIEZ !

Alexis Carrel écrit: « La façon la plus efficace de vivre raisonnablement, c'est de faire chaque matin un plan
pour la journée et, chaque soir, d'examiner les résultats
obtenus. »

MOTIVATION

RÉVEILLE-TOI, Ô HOMME ! LA VIE S'ENVOLE.
FAIS QUELQUE CHOSE DE VALABLE AVANT DE
MOURIR.
LAISSE DERRIÈRE TOI UNE OEUVRE SUBLIME
QUI VA SURVIVRE À TA PERSONNE ET AUX
SIÈCLES.

ALFRED ARMAND MONTAPERT
Personal planning manual

L'objectif qui apporte
le plus de bonheur à l'homme

Le développement spirituel est l'objectif qui apporte le plus de bonheur à l'homme. Soyez content d'avoir tôt ou tard recherché la VÉRITÉ. La VÉRITÉ est tout ce que nous aurons quand le soleil se couchera sur nos ans. Sans la VÉRITÉ, à l'heure de la mort, notre vie aura été un échec.

VOILÀ LA GRANDE RÉALITÉ DE LA VIE. Ce qui est triste, c'est que si peu de gens le réalisent. Quelles vérités avons-nous apprises durant notre vie ? Les grandes vérités sont éternelles. À la longue, la recherche de la vérité s'est toujours avérée non seulement plus intéressante mais plus profitable que la recherche de l'or. La lumière, c'est la lumière, même si l'aveugle ne la voit pas. Jésus a dit : « Vous connaîtrez la vérité et la vérité vous libérera. » (Jn 8:32)

Il y a un pouvoir supérieur qui est source de tout bien... et c'est DIEU. En conséquence, il nous faut développer notre dimension spirituelle car elle est le lieu invisible où nous réunissons nos forces pour jouir du moment présent... pour nous donner espoir dans l'avenir, pour satisfaire la nature infinie de tout notre être. Nous nous tournons vers le Seigneur, source inépuisable ; il n'y a que LUI qui puisse combler notre âme.

La vérité enseignée par Jésus-Christ est la bonne manière de vivre. Par Lui, Dieu nous révèle comment la vie DOIT être vécue pour la vivre à son meilleur. Mal comprendre cette vérité, ou ne rien faire pour la comprendre, c'est manquer totalement le but de Dieu qui se révèle en Jésus-Christ. L'accepter et y croire, c'est à la fois se donner une vue intelligente de tout l'ensemble des choses qu'on appelle la VIE. Vous verrez que ces merveilleuses paroles sont vraies. «Je suis le CHEMIN, la VÉRITÉ et la VIE.» (Jn 14:6) «Mais je suis venu pour qu'ON AIT LA VIE.» (Jn 10:10) LA VÉRITÉ est ÉTERNELLE!

Excellents principes
pour être heureux

Faites de votre MIEUX TOUS LES JOURS.

RÉFLÉCHISSEZ et PLANIFIEZ d'abord, AGISSEZ puis JOUISSEZ DE VOTRE TRAVAIL.

Ne perdez pas de TEMPS, car le temps c'est la MATIÈRE PREMIÈRE DE LA VIE.

Soyez POSITIF et OPTIMISTE.

VIVEZ et JOUISSEZ de l'argent que vous faites.

Restez fidèle à la règle d'or (Mt 7:12). Restez fidèle au SERMON SUR LA MONTAGNE (Mt 5,6,7).

Il n'y a rien dans la vie qui N'ÉVOLUE PAS, on doit APPRENDRE à faire des ajustements.

N'admettez jamais d'être vaincu. VIVEZ DANS LA CONFIANCE.

Recherchez toujours le BIEN chez les autres ; il n'y a personne de parfait.

Pensez du BIEN de vous-même : Le monde vous accorde la valeur que vous vous attribuez.

Attention à la SOIF des faux plaisirs ; coupez à la racine les faux plaisirs et remplacez-les par les VRAIS PLAISIRS de la vie.

COMPRENEZ la loi de la CAUSE et de l'EFFET. J'en souffrirai si je la viole. Elle devient ma meilleure amie si je la comprends.

Tout EXCÈS a son EFFET, ses RÉPERCUSSIONS, ses SÉQUELLES. TOUT ce qui excède les limites de la MODÉRATION manque de STABILITÉ À LA BASE.

Le BONHEUR NE DÉPEND PAS DES CHOSES qui m'entourent mais de mon ATTITUDE. Tout dans ma vie dépendra de mon ATTITUDE.

Vous ne servirez jamais si bien Dieu qu'en servant votre prochain.

L'école de la vie

On a comparé la vie à une école. Tout bien considéré, c'est une bonne comparaison.

La cloche de l'école a sonné souvent par le passé, mais plus jamais on aura besoin de la faire sonner. L'école n'est jamais terminée. Il n'y a plus de vacances ou de fêtes. Le programme d'études est astreignant. Les leçons sont difficiles. Le cours est imposé. Il n'y a pas de sujets facultatifs. Le professeur Temps n'a pas de préférés. Seules, les VALEURS ÉTERNELLES intéressent le directeur. Il est bien décidé à ce que tous soient diplômés avec distinction.

Quoiqu'on ne puisse pas choisir un cours à l'école de la vie, on peut se spécialiser en certains sujets. J'ai choisi pour moi des sujets qui peuvent vous intéresser.

Je veux savoir :

Comment garder la symphonie de ma vie en accord avec celle de l'Infini.

Comment acquérir la sagesse d'ordonner ma vie d'une façon telle que je réalise mon plus grand bien, tout en respectant les opinions, les droits et l'intimité des autres.

Comment obtenir pour moi la très haute récompense que je mérite sans voler les autres en ne leur donnant jamais ce qui leur est dû pour valeur reçue.

Comment tirer parti de mes déceptions et de mes faiblesses pour pouvoir donner aux autres des richesses de compréhension, d'encouragement et de serviabilité.

Lorsque blessé au combat de la vie, comment puiser l'eau de l'espérance et du courage dans les profondeurs de la prière et de la méditation paisible, puis retourner au front, intrépide et sans peur.

Comment garder une juste appréciation de moi-même, de mes talents et de tout ce que j'ai pu accomplir de bon sans devenir égoïste, arrogant et vantard, sachant que le mépris de soi est un grand péché et que l'égotisme est une excroissance cancéreuse.

Comment dire en toute simplicité « Je ne sais pas » au lieu de jeter de la poudre aux yeux en prétextant la sagesse et ainsi révéler très clairement mon ignorance à ceux qui savent vraiment ; je deviens ainsi à leurs yeux un objet de mépris et de pitié, alors que j'aurais dû conserver leur respect et leur confiance en étant honnête.

Comment parler plusieurs langues quand c'est nécessaire et savoir me taire la plupart du temps dans toutes ces langues.

Comment permettre aux autres de temps en temps d'avoir le dernier mot, même quand je sais qu'ils ont tort.

Comment porter le laurier du vainqueur avec grâce et comment accepter la défaite avec autant de grâce.

Comment acquérir la sagesse et cependant garder ma place dans le Royaume de Dieu avec la foi et la simplicité d'un petit enfant.

Comment enfin toujours garder présente à l'esprit cette vérité que *ce qui est bien aux yeux de Dieu* est plus important que l'approbation en passant d'hommes qui n'ont jamais su eux-mêmes le vrai sens de la vie.

Voilà des sujets qui me passionnent et que j'estime être de la plus haute importance.

Ce livre aussi peut ressembler à une série de leçons pratiques de l'école de la vie sur l'art de réussir sa vie. Son but est d'aider les gens à s'aider eux-mêmes... à apporter des réponses réalistes aux problèmes fondamentaux de l'homme... à accroître la valeur de la vie humaine avec ses joies et en diminuer la souffrance... à donner la paix à l'esprit de l'homme *et apporter le bonheur dans son coeur.*

Que les esprits superficiels rejettent et ridiculisent tout cela autant qu'ils le peuvent, il demeure que la vérité de Dieu est au centre de toute éducation à la vie : En effet, il n'y a pas d'explications de l'univers, ni de l'homme en dehors du génie créateur de Dieu.

La VIE est une série de réalisations et d'aventures. Quand vous avez atteint un objectif ou vécu une aventure, ceux-ci perdent de leur mordant. Mais il y a encore d'autres objectifs qui nous attendent. On ne manque jamais vraiment d'objectifs et d'aventures. C'est ce qui s'appelle APPRENDRE, CROÎTRE, GRANDIR, DEVENIR. Le premier but de l'étude est qu'elle vous serve dans l'avenir.

Aucun homme n'a jamais reçu de diplômes de l'école de la vie. Il est étudiant jusqu'à sa mort et au moment de son dernier soupir, il peut encore apprendre. Toute la vie est un processus d'apprentissage. La première étape consiste à APPRENDRE, la seconde à mettre ce qu'on a appris EN APPLICATION et à savoir UTILISER cette connaissance. Enfin, la troisième étape, c'est d'AIMER ce qu'on a fait, c'est dêtre satisfait d'un travail bien fait... et d'être HEUREUX. Même si le monde est rempli de souffrances et de luttes, vous pouvez DEVENIR un être fort au CARACTÈRE TREMPÉ, un homme de VALEUR, et votre coeur peut déborder de BONHEUR.

Sommaire

Ce fut notre but de signaler à votre attention le plus rémunérateur de tous les arts, L'ART D'ÊTRE HEUREUX. Ce fut aussi notre but de vous montrer le chemin du bonheur, de stimuler et d'encourager le lecteur à voir et à agir par lui-même.

Les hommes ont trouvé le bonheur par des voies apparemment différentes. Ce petit livre n'épuise nullement tous les éléments du bonheur, mais il vous fournira une excellente base pour être heureux et satisfait.

L'heure est venue de réformer nos idées de bonté, nos aspirations et nos tristesses, tout autant que l'idée que nous avons du bonheur. Faisons le calme dans nos âmes pour y goûter la joie de vivre. LA VIE ENTIÈRE ET LE BONHEUR NE SONT QU'UNE ÉDUCATION CONTINUE DE NOUS-MÊMES. LE BONHEUR NE NOUS EST PAS DONNÉ, IL FAUT LE FAIRE.

« Les hommes peuvent modifier leurs vies en modifiant leurs attitudes », disait William James. La joie ne dépend pas de notre milieu, mais de notre attitude. Tout dans nos vies dépend de nos attitudes. C'est une tâche qui n'est jamais finie que de développer les qualités positives qui conduisent au succès, de déraciner les aspects négatifs, soucis, craintes, haines, envies qui nous empêchent de parvenir au bonheur réel, à la sécurité et à la joie d'avoir fait quelque chose.

Si l'homme moderne s'intéressait davantage à ce qu'il EST, s'il était moins dominé par ce qu'il A, ses craintes diminueraient. Petit à petit, l'homme devient conscient que son propre code de conduite devient le fondement de sa propre sécurité. LA VÉRITABLE SÉCURITÉ CONSISTE À AVOIR UN SENS DE DIEU. Faire le plus de bien possible est le but fondamental de la vie. UN INDIVIDU NE PEUT PAS PLUS SE BÂTIR UNE VIE SANS DES CROYANCES ET DES IDÉAUX SOLIDES QU'IL NE PEUT BÂTIR UN ÉDIFICE SANS L'ASSEOIR SUR DE SOLIDES FONDATIONS.

Le bonheur, c'est la VICTOIRE sur les troubles de la vie.
Le bonheur au foyer, c'est le printemps de la vie.
Le bonheur se trouve dans les bons livres.
Le bonheur se trouve dans les beautés de la nature.
Le bonheur se trouve dans le travail.
Le bonheur, c'est d'aider les autres.
Le bonheur se trouve dans la belle musique et dans les arts.
Le bonheur se trouve dans les voyages et avec les amis.
Le bonheur se perd dans la précipitation, les soucis, les dettes.
Le bonheur et la satisfaction se trouvent dans l'espérance.
Le bonheur, c'est de savoir que Dieu prend soin de moi.

Pour résumer, on peut donc dire que la définition de la vie heureuse, c'est la vie où l'on recherche le maximum de développement personnel dans tous les domaines, tout en équilibrant vraiment le corps, l'esprit et l'âme. C'est ce que VOUS DEVENEZ, ce que VOUS ÊTES et non pas le gros bagage de connaissances ou l'argent que vous pouvez avoir.

Il m'a fallu l'expérience de toute une vie dans le monde des affaires pour écrire cet essai sur le bonheur. Durant des années, il m'a fallu lutter tous les jours pour ma survie économique. Mes idées étaient sans cesse confrontées aux standards les plus élevés et les plus cruels... ceux du monde des affaires. Si vous avez parfaitement saisi l'essence de ce livre, la récompense que vous recevrez sera celle attachée à la plus grande des réalisations humaines : POSSÉDER L'ART D'ÊTRE HEUREUX ET VIVRE DANS LA JOIE.

Nous sommes émerveillés à la pensée de la richesse des éléments qui constituent le chemin du bonheur. Peu importent vos nombreux diplômes, votre éducation n'est vraiment parfaite que si vous maîtrisez l'essentiel de ce que nous avons écrit. Rendez les autres heureux et vous le serez vous-même.

Faites de chacun de vos jours un jour de bonheur. Plus on y pense, plus on se rend compte que le bonheur est en soi. Dû à un regrettable manque de compréhension, nous gaspillons nos vies à le chercher ailleurs.

Le but de tout enseignement, c'est de permettre au coeur humain de trouver la paix en communion avec son Créateur ; c'est aussi d'être capable d'exprimer cette paix par ses pensées, ses sentiments et sa conduite. Votre FOI en Dieu est votre RICHESSE.

Aujourd'hui, la relation avec le Seigneur est faussée. Quand l'homme verra vraiment qu'il ne peut tout simplement pas vivre le coeur rempli de mal et d'égoïsme, il prendra conscience de tout ce qui est vraiment la cause du naufrage de tous ses plans.

Vous êtes LIBRE DE CHOISIR : À vous de faire un choix qui sera véritablement le vôtre. Nous ne pouvons nous attendre à être heureux si nos vies ne sont pas pures, nettes et utiles.

LE BONHEUR
L'éternelle richesse de l'humanité dépend...
...DE LA NATURE DE VOS PENSÉES
...D'UNE VOCATION QUI COMBLE L'ÂME
...DE LA CAPACITÉ DE METTRE EN VALEUR VOTRE
  EXISTENCE.
LE BONHEUR, EN EFFET, EST FONCTION DU CORPS, DE L'ÂME, DE LA TOTALITÉ DE L'ÊTRE.

NOUS DEVONS RECHERCHER LE BONHEUR DANS NOTRE ÊTRE ET NON DANS NOS POSSESSIONS. Il n'y a pas de vrai bonheur sans Dieu, sans la connaissance de Dieu, sans avoir expérimenté qu'Il est la vie et la vie éternelle. Si nous sommes fidèles à sa volonté et au chemin tracé, nous connaîtrons le bonheur divin et la joie. C'est l'unique chemin qui permet de réaliser TOUT SON POTENTIEL. HEUREUX L'HOMME QUI SAIT D'ABORD CE QU'EST LE BONHEUR... ET QUI PAR LA SUITE N'ACCEPTE AUCUN SUCCÉDANÉ.

Jésus est venu pour rendre les gens heureux, pour évaluer le succès en termes de bonheur, de paix intérieure, d'amour, de joie, de capacité NON de dominer les autres, mais de les servir et de les rendre heureux. En acceptant Jésus-Christ comme notre Sauveur, nous aurons une paix, une joie, un bonheur qu'aucun mot ne peut exprimer.

Ainsi donc, ami lecteur, grâce à ce livre nous arrivons ensemble à la fin de notre court voyage. Que le Seigneur entrouve les portes du ciel, qu'il déverse sur vous ses bénédictions et remplisse votre vie de bonheur et de joie.

RAPPELEZ-VOUS TOUJOURS QUE LA RÉALISATION LA PLUS IMPORTANTE DE VOTRE VIE, C'EST LE BONHEUR ET LA JOIE... QUI SONT LES RÉSULTATS DE LA FOI, DE L'ESPÉRANCE ET DE LA CHARITÉ.